MånPocket

D1026895

TORGNY LINDGREN

Ormens väg på hälleberget

MånPocket

Omslag av Pia Forsberg

Denna MånPocket är utgiven enligt överenskommelse
med P. A. Norstedt & Söners Förlag, Stockholm
Originalupplagan utgiven 1982

Tryckt i Ungern 1984

ISBN 91-7642-142-2

Bilaga till sekreterarens årsrapport till Västerbottens läns Hushållningssällskap 1882.

I samband med min resa i Vindelälvens dalgång sistlidne oktober besökte jag under en dag den plats nära gränsen mellan Lycksele och Norsjö socknar, Kullmyrliden, där vid medio av föregående decennium en smärre naturkatastrof säges ha inträffat. En ung kvinna, Tilda Markström, vilken förestår ortens lanthandel, visade mig till stället. Hon hävdade med bestämdhet att hennes fader, handlanden Karl Markström, skulle hava omkommit vid rasolyckan. Om detta är med sanningen överensstämmande vill jag emellertid låta vara osagt, denna gudsförgätna obygds befolkning äger en olycklig benägenhet att föredraga berättelser framför den sanna verkligheten, för vetenskap sakna dessa människor all förståelse.

Att ett ras eller skred här har inträffat torde

dock vara oomtvisteligt. Rasbranten äger en längd av cirka 300 alnar, de rasade jordmassorna, som till övervägande delen bestå av block samt morängrus, synas i betydande utsträckning hava uppslukats av den under branten belägna myren. Av bebyggelse etc. kan intet spår iakttagas, dock tyckes den högre belägna marken tidvis hava varit odlad.

Ortens befolkning synes ej ha gjort några iakttagelser av betydelse; sprickbildningar, sättningar etc., vilka kunde sättas i förbindelse med det inträffade, kunna de ej erinra sig, de tyckas endast mena att Guds skapelse och omdaning av världen oavlåtet fortgår, skapelsen är (för dem) utan slut.

Platsen har erhållit benämningen ”Stornygrova”. Ordet ”grov” betecknar i denna landsända en sänka eller dalgång av ej alltför betydande omfattning. Dess belägenhet markeras å bifogade kartblad med tecknet †.

Umeå den 11 december 1882
Rutger Bygdelius
Sekreterare vid Västerbottens läns Hushållningssällskap

Vårherre, var det honom, Karl Orsa bonden och handlarn, du ville begrava den där gången då du slet sönder Kullmyrliden oppå det här viset, eller var det mig och mitt hus och Johanna? Och barna som hade olevat?

Det ska icke hända i de här trakterna, påstår dem. Jordbävningar, sprickor, omvälvningar. Icket.

Det är endast detta jag vill fråga.

Du känner mina omständigheter.

Svenska som jag nu talar vid dig Vårherre, hon lärde jag mig i Baggböle och av Jakob.

Omständigheter är ett grovt ord.

Jag ska draga allt för dig Vårherre.

Jag ska draga alltihop för dig Vårherre, från början och till slutet, och sedan ska jag fråga dig om detta som jag icke förstår.

Johan Johansson, av folket kallad Skrävel Jani, säkerligen så benämnd också av dig som int lär göra skillnad på folk, född i Kullmyrliden artonhundraförtinie, samma år som morfar min, Alexis, hängde sig däri en av Ol Karlsas tallar, han hade då ingen egen skog mer, och samma år som två av Johan Olovs tjurar gick ner sig däri källan vid Gårdmyran och således gav henne namnet, Oxkallkällan, allting ska hava ett namn.

Om du Vårherre nånsin behöver en skopa vatten som släcker en evig varelses törst, så säger jag dig att du ska gå dittill Oxkallkällan, hon är klar och kall som luften mellan stjärnerna och hon ligger bara tie steg från sistspängerna före Granberget.

Du vet att jag föddes trotsig, du skapade mig trotsig. Och du har alltid talat till mig och sagt: Du ska icke vara trotsig, Skrävel Jani. I det fallet är du besynnerlig, du danar oss på ett alldeles särskilt vis, stora oppå oss eller tjurskalliga eller hur som helst, och sedan förbrukar du liven våra till att underrätta oss om att just sådana ska vi icke vara, int ska vi vara oppå just det särskilda vis som du har skapat oss.

Men du var bra i det fallet att du int gav mig så mycket att vända trotset mitt mot. Om du hade gjort mig till son åt en handlare eller storbonn, då kunde jag ha blivit en farlig karl med allt det där egensinnet och tvärveden i min varelses stam, jag kunde ha blivit som en vrång herre, men i de omständigheter där du satte mig vart trotset mitt som så oskyldigt och en småhet, det syntes mest bara som en tärande sjukdom i min egen invärtes människa. Herre, till vem skole vi gå?

Nästan som en avgrund gjorde du häri Kullmyrliden och som jag nu sitter hänger bena mina ner i djupet, ängslan känner jag icke, som det nu vart kan jag hänga bena mina utför vad stup som helst, jag vet att du kan öppna avgrunder varän och näraän det faller dig in, och till och med överom avgrunden eller vad man nu ska kalla det här stupet så känner jag trots. Han vederkvecker min själ, han förer mig in på rätta vägen för sitt namns skull.

Nej, ingen far alls lät du mig födas med, och lika gott var väl det, han skulle ock haft maten, likgiltigheten gav du mig i födsel att späda ut trotset med, och mycket till karl var han väl int, för du tog honom till hospitalet Pitholmen och där fick han förblekna och dö.

I hans ställe hade vi ju ock detta orgelharmonium som mors fadder, snickarn Rönn i Tjöln, byggt åt henne och som med lättfärdigheten sin, särskilt om man drog ut knopparna Principal och Flöjt, stundom gav oss någon brödkant.

Och en av dem faller icke på jorden eder Fader förutan. Äro ock edra huvudhår alla räknade.

Dem brukade hämta mor om lördagskvällarna då hon hade mjölkat, dem var högljudda och uppfyllda av glädje, dem bar ut orgelharmoniet och satte det oppå en flakvagn eller en släda och mor som ingick i glädjen deras satte dem närmast kusken, och sedan for dem iväg diti ett utvalt uthus eller ett kök eller en loge och där dansade dem ända till morgonmjölkningen, och vi brukade vakna av att dem lämpade av orgelharmoniet dära förstubron och av att mor slamrade med ringarna däri spisen.

Han hade alltså ingen egen skog morfar, och heller icke hårdlandstegar eller äng, int ett jota hade han fastän han icke var född utan. Men han förfor hela alltet, starrslåttern och hårdlandet, Lidgärdsänget och Kläppskiftet. Och sedan han förfarit allt begynte han lida nöd.

Ändå var han utan skuld som ett nyföddbarn, brännvinet drack han icke, han draltrade bara bort egendomen sin som en lillunge då han går däri gräset och lämnar det han har däri händerna liggande efter sig här och där, han var släpphänt och beskedlig och slasut, han gjorde affärerna sina med Ol Karlsa, affäras ska man ju, sade han. Hästskorna var det och sömmen och yxorna och sågbladen och saltet och sockret och smidesjärnet och vävskedarna åt mormor.

Kontanter hade han inga, men pantbrev gick det ju jämt att upprätta, Ol Karlsa hade färdigtryckta, hårdlandet och Lidgärdsänget och starrslåttern och Kläppskiftet, andra tider, ja men detta: andra tider och morgondagar skulle komma då han med ränta skulle utgöra dessa småsummorna. Men siståret innan jag föddes då lät du Vårherre Ol Karlsa komma dragandes med pantbreven, han bar dem inne i bibelpärmarna där själva gudsordet var borta och där alla värdepapperna hans låg med skinnremmar kringom, det var en söndag och morfar sade att han vart glad då han såg en handlare som så förbarmeligt och andäktigt helgade vilodagen att han drog Ordet med sig under armen var han gick.

Att du är en oleckligt gudfruktig handlare, sade han.

Handlare sade morfar alltså, fast egentligen var väl Ol Karlsa en vanlig bonn han ock, det var bara genom snalleriet som han hade kommit att handskas med allehanda varor och blivit som en köpman, och varför satte du Vårherre bönderna att förvalta den härliga jorden som du skapat och varför fyllde du dem med ondska och illsnedighet och maktbegär så att dem int är som människor?

Pantbreven är det, sade Ol Karlsa. Själva Ordet har jag låtit sätta in i oxhud.

Såå, sade morfar, är det pantbreven du är ute och går med.

Och han fortsatte i sin oskuld:

Mor kan nog giva oss en slurk dricka om vi går in, hon är en vecka och som bäst.

Men Ol Karlsa var storbjuden, han hade druckit däri källan vid Granberget och om söndagarna såg han icke åt drickan om hon var jäst och kontanter var det som han just nu ville hava, och det var märkvärdigt vad kornet var långt kommet här oppå liden, men det var väl solen och att det var vindstilla.

Men sätta oss kan vi väl, sade morfar.

Sittande sade sedan Ol Karlsa:

Jo. De här pantbreven.

Kontanter har jag inga, sade morfar. Men framöver.

I morgon har jag ärende åt Skellet, sade Ol Karlsa. Då tar jag pantbreven med mig.

Du har nog rätt om kornet, sade morfar. Lä jämt och så solen.

Men framöver, sade han ock, framöver skulle han röja bakom fuset, en kornteg till, och ett dike skulle han gräva nerefter hela liden och ett stycke ut dära myren och det skulle bli både slåtter och bete, framöver kunde han lova att grödan skulle och även kontanterna skulle och kalvar skulle och killingar och lamm och skinnen och Guds förbarmande och välsignelse.

Men Ol Karlsa godtog icke framöver, han hade till och med en almanacka och där stod bara dagars och månaders namn och icke framöver, lagsökning och dom och lagfart hade sina månader och dagar och allting haver sin tid och allt det man företager under himmelen haver sin stund. Plantera haver sin tid, upprycka det som planterat är haver sin tid. Dräpa haver sin tid, läka haver sin tid, nederbryta haver sin tid, bygga haver sin tid. Gråta haver sin tid, le haver sin tid. Och klaga haver sin tid. Men framöver? Icket.

Att du int drap honom, sade mormor efteråt.

Jag tänkte int på det, sade morfar.

Hon tänkte på krafterna han hade och du vet det ock: han hade utfört underverk, burit en hundrakilossäck oppå raka armar, ställt sig under buken oppå en märr och hävt opp henne, lyftat två fullväxta karlar oppå handflaterna sina, rätat ut en nians hästsko, fast ingen vet om sådana ardennrar fanns här dåförtiden.

Men att du int drap honom, sade mormor.

Det vart int för mig, sade morfar.

Om hösten, i oktober, bakom tröskningen, mitt i fårklippningen och före bakudagarna, då kom Ol Karlsa med lagfarten.

Men torpare eller sin egen, sade han. Nog gör du dig lika, Alexis. Och nu har jag fått mitt. Och du har gjort rätt för dig. Som en karl. Och ullen kan jag köpa. Och om du har någon dricka så. Och arrendet ska vi nog komma sams om. Och om jag köper ullen så blir det kontanter.

För stället mitt, sade Ol Karlsa och kom fr
med lagfarten. Sams kommer vi nog. Vi ha
jämt kommit sams. Jag är ingen ond männis
sade han också och morfar tyckte att onds
lyste borti ögonen hans.

Att han icke drap honom, jag säger det till
Vårherre och du tör väl ock säga det: att
icke drap honom! Ol Karlsa var sextiett, mo
på det femtisjätte och Ol Karlsas liv var in
tet i de levandes pung hos Herren, men i
morfars.

Mor min, hon vart sjutton då o
tog fram drickan och dem k
det och morfar sade at
och Eva och Tilda och
var nu ute i världen oc
som var kvar och hon
musiken och orgelharm
hade byggt åt henne, o

Och någon råd blir
Karlsa. Men du skulle

Det vart int för mig,
då dem dansar.

la ifrån början.

Om att betala arrende. Förtinie, försthösten
levde, då for morfar åt Skellet med spegeln,
elringarna hans och mormors och porslins-
pen som mormor fått i piglön i Böle, och just
ass att det rack.

femti, då skulle han icke veta

in hösten, hon

la arrendom sams om arren-

t de andra barna, Lina

Maria och Alida, dem

n det var bara hon, Tea,

hade denna gåvan med

noniet som Rönn i Tjöln

ch hon spelade en psalm.

det väl alltid, sade Ol

ha gjort dig en pojk.

sade morfar. Hon spelar

Men Ol Karlsa han bara sneglade oppå henne, du vet huru han kunde snegla, han tog opp klockan och sneglade på henne som om tiden hade med arrendet att göra, det var mitt på dagen, och han sneglade oppå mormor och mig och sedan oppå mor igen.

Vad heter han? sade han.

Johan, sade mor. Efter farfar sin.

Så en farfar har han, sade Ol Karlsa.

Det förstås, sade mormor. En farfar har han. Iallafall.

Han vart fet siståren, Ol Karlsa. Också det ville han hava och omgiva sig med: valkar oppå halsen, isterpåsar under ögonen, talgknölar dära fingrarna, glåsafett överallt, så att ingenting skulle fattas.

Kontanterna, sade han. Dem har jag redan. Nog och övernog.

Det var besynnerligt sagt. Det var förstgången i livet han sade så. Nånting menade han.

Ty vilken som haver, honom skall givas att han skall nog hava, men den som icke haver, av honom skall ock varda taget det han haver, och det syntes klart vad han tänkte.

Och vedbrand, fortsatte han. Ni två kvinnstackare och ingen karl. Nej, kontanter kan det väl aldrig bli tal om.

Om någon gång du Vårherre skulle ha gripit in så var det då, det var den rätta stunden för din försyn, men det vart ingenting, ingenting särskilt, mormor bad i tysthet så att hon vart skrövlig i hela ansiktet och mor tog åt sig psalmboken och höll henne mot magan som för att skyla sig. Men Ol Karlsa satte sig dära vedbänken och sade:

Du kan väl spela för mig, Tea?

Och det var ju int mycket begärt, musiken är som en tröst och medan man spelar får man liksom uppskov med annat, psalmer spelade hon och ur Lamsens visor och han verkade fara väl av att höra på, han blundade och vickade skorna opp och ner, bönderna här har nog alltid tyckt om musiken, och ett tag trodde mormor att han skulle vara nöjd med detta och somna av.

Men mitt i Ur Djupens Nöd, O Gud till Dig Jag ropa må och klaga, Din milda öron vänd till mig så kom han till sig och steg opp och stegade fram till mor och tryckte in alla knopparna så att orgelharmoniet vart tvärtyst, och han sade till mormor att hon skulle taga lillpojken, stackarn, och gå ut, för nu skulle han göra opp det här med arrendet och det var fullt nog om han fick hava Tea för att göra opp den affären.

Och Vårherre, du som hade danat även honom, Ol Karlsa, du inser huru han tog ut det där arrendet, dig kom det icke oförvarandes över. Fållbänken stod sönnerst i köket, där utkrävde han sin rätt och om den rätten ska vi icke divla, han var långsam och omständlig och omasslig som en gammal fargalt och Herre, till vem skole vi gå?

Då, förstgången han kom oppå det viset, då var jag två, mor var tjuge, Karl Orsa, sonen hans, var tjuåtta och mormor hade bara två år kvar.

Framåt hösten kom han med två björkvedslass och en halv saltsäck och ett skopar från Skellet åt mor. Du varder där icke utkommande, till dess du betalat haver den yttersta skärven, och mor gjorde rätt för oss, för vi har aldrig haft någon annan utväg än att göra rätt för oss.

Karl Orsa, sonen, han var annorlunda. Han pratade ingenting och han var lång och smal och som dyster, han var aldrig med då dem hämtade orgelharmoniet och mor, dansa lärde han sig aldrig, fast vad skulle han ha dansat för, han hade nog ändå, tusen hektar skog, tjuge hektar hårdland, Lidmyran och Stormyran till slåtter, tretton kor däri fuset och två hästar och handeln och han skulle bli ensammen om det, så han behövde icke dansa.

Man ser int botten Vårherre, så här från kanten, så djupt vart det här stupet du gjorde. Hon heter Stornygrova, redan då ett år hade gått hette hon Stornygrova, allting ska hava ett namn, och ingen vet sedan vem som var först om att uttala det.

Då mor förstod att hon hade blivit oppå det viset, då intalade du Vårherre henne att gå till Ol Karlsa. Han hade nu ett sursår däri benet och satt ini kammarn bakom handeln, det var i förfallstiden och det rann görjvattnet ur känggskorna på mor, hon hade ock fått som en ingivelse att hon skulle säga att hon säkert visste att dem, hon och Ol Karlsa, att dem hade ställt det så att dem väntade smått ilag, hon var grådu och åt saltkornen direkt ur säcken.

Kan icke vara sant, sade han och gned benet. Jag är gammal och skackerhänt. Och nu har jag fått surbenet.

Och han nämnde även makan:

Int ens att jag har varit när Magda oppå två år, sade han.

Vårherre vet huru det har blivit som det är, sade mor. Huruledes du har ställt det för oss. Det är för arrendet som du tog ut.

Arrendet? sade han.

Jo, arrendet, sade mor.

Men att du är oppå det viset, sade han, det syns branog väl. Och om det int finns någon far åt ungen, så har han nog en farfar. Iallafall.

Och mor vart tvungen att försvara sig:

Johan, han har en far. Det står däri kyrkboka. Men han vart sjuk. Han vart skaffad dita Pitholmen. Hospitalet.

Jag håller på att sätta ifrån mig, sade Ol Karlsa. Jag sätter ifrån mig någon liten grut var dag. Skogen. Och hårdlandet. Och handeln. Och ängesslåttern.

Och mig och mitt sätter du ock ifrån dig?

Alltihop sätter jag ifrån mig. Han som har sursåren ska ingenting behålla. Då man får surbenet, då ska man kliva åt sidan.

Och du vet säkert att det är surbenet? sade

mor.

Om int nånting ändå värre, sade Ol Karlsa. Men om det är Vårherres vilja.

Du vet det att han talade jämt oppå det viset.

Du får komma sams med pojken min, Karl Orsa. Om detta med arrendet. Nu får det där vara för mig, sade han. Men han ska nog icke vara obillig. Fast det är klart: om icke detta med surbenet. Och du kan taga en sockertopp åt pojken din. Eller två. Tag två sockertoppar.

Sistmånaderna vart det svårt för honom, Ol Karlsa, det var som en rättvisa, sursåren vax opp efter benen och över magan och bröstkorgen och armarna och skallen och han fördrog int maten mer. Och han visste att det enda som kan hålla köttet friskt, det är saltet, och därför ställde han om att Magda var dag, morgon och kväll, saltade såren hans med grovsaltet, i början var det ju en olecklig pina och han skrek kuseligt, men undan för undan så vande sig liksom köttet hans vid saltet, och sistdagarna syntes det som om plågorna var över, men då var han så all och förbi att det var ingen tröst längre. Och Karl Orsa han lät det vara med begravningen ända till Mikaeli, för liket var ju gravsaltat sade han, och det var en åsksommar då alla sysslorna verkade taga tredubbel tid.

Systern min, förstsystern, hon föddes mitt i sommarn, Eva fick hon heta efter en moster och det var ändå som om mor var välsignat glad åt henne, detta begriper du Vårherre på ett annat vis än jag, och hon bar henne till änges i en näverkont som morfar gjort då hon gick med mig. Hon var ljuslätt som vi, icke brunsvart som Ol Karlsas, och spela ska jag lära henne, sade mor, ljuslättmusiken.

Den här skulle du hava, sade Karl Orsa då han kom om hösten sedan han hade tagit hand om alltihop som Ol Karlsa lämnat efter sig åt honom.

Han lär vara gjord i Italien, sade han. Eller i Palestina.

Farsgubben började prata om det sistdagen han var klar och levde. Spegeln vill jag att Tea ska hava, sade han. Som någon sorts minne. Jag har alltid tyckt om musiken hennes. Spegeln som har sniglar och kristaller och skaldjur på ramen. Han som jag köpte i Pite då jag sålde hundskinnen åt Kronan.

Och mor hon tog bara spegeln och hängde opp honom på spiken som satt kvar sedan morfar for med gammspegeln.

Låt du spiken vara, sade morfar. Man vet aldrig.

Precis som om han hade känt det på sig: nog

kommer det en dag en spegel igen.

Att det var som en grannspegel det, sade mormor.

Vad heter hon? sade Karl Orsa och nickade åt lillflickan.

Eva, sade mor. Efter moster sin som for åt Ume och vart prästpiga. Ön heter stället där hon är.

Om han tänkte att det var systern sin han såg? Mor kunde ha sagt det, hon skulle ha sagt det, men hon såg på spegeln och det vart icke för henne.

Vårherre, den här svenskan är ett oformligt språk, vad heter oppställd?

Men arrendet, sade mor. Kom han ihåg att prata om arrendet i det sista?

Bara spegeln, sade Karl Orsa. Handeln och egendomen hade han ju satt ifrån sig. Inför döden var det mest bara småsaker kvar som han skulle ordna om. Det vart bara småheter och döden.

Han var tretti och full karl, Karl Orsa. Brunsvart i håret och aningen ljusare däri skäggkransen som jämt var nyklippt och han var liksom styv och hård i kroppen, och han hade långrocken och rörde sig sakta, han ville ingenting göra för fort eller i onödan.

Jag sätter mig med boka bakom nyåret, sade han. Och då får vi väl se om arrendet.

Så det fanns en bok då? sade mor.

Det är oppskrivet alltihop, sade Karl Orsa. Han var som noga, farsgubben. Och för detta året är det ju betalat. Det har han skrivit opp däri boka.

Det var mest framöver jag tänkte, sade mor. Jag ensammen. Och inga penningar.

Om det int vore för handeln, sade Karl Orsa. Men handeln går icke utan kontanter. Annars behövs det väl inga penningar. Men för handeln måste jag hava dem.

Och innan han gick nämnde han ock:

Men krediten kan du nog få. Utifallatt. Det ska nog gå.

Om annandagen kom dem och hämtade mor och orgelharmoniet, dem skulle dansa i Ristjöln, och hon tog Eva med sig däri konten, hon skulle ju hava bröstet.

Från Ristjöln hade hon en karl med sig hem. Han kom oppå skidorna efter risslan där mor och Eva satt i fårskinnsfällarna och efter slädan med orgelharmoniet, han hette Jakob och var enögd. Sörlänning var han ock, själv sade han att han kom från Kanaans land, fast det var nog int värre än Ångermanland eller på sin höjd Småland.

Vårherre, det var du som hade skickat honom.

Han dansade int, sade mor. Han skötte lillflickan åt mig däri Ristjöln. Icke en dans.

Han hade kommit med en båt åt Ume. Där hade han arbetat åt en vedhandlare. Han hade varit bonddräng i Sävar. Och barkat hässjevirket i Röbäck. Och sisthösten hade han stått och bilat timmer i Burträsk. Och nu hade han kommit med en snallare oppöver. Mormor frågade efter ögat, men han sade ingenting bestämt, han höll bara handen för tomöghålet och sade att han hade tappat det, men att han såg ganska väl på det han hade kvar, han ställde inga orimliga anspråk. Liten och tunn var han och sluttaxlad, han skrattade fort och lätt, särskilt då han höll oppå med Eva, och åt mig täljde han förstdagen en stågubbe som kunde stå oppå bordskanten och vicka, nedi ryggsäcken hade han just ingenting, en hyvel och en rasp och knivarna och två stämjärn, nej han var ingen märkvärdighet, Jakob, nästan tvärtom. Han var den karl som mor behövde.

Då Karl Orsa kom om trettondagen, då kom Jakob fort fram med en skinnpung och betalade arrendet. Vilken är den av eder, som vill bygga ett torn, och icke först sitter och överlägger bekostningen, om han haver det han behöver, till att fullborda det med? Och glädjens med mig, ty jag haver funnit min penning, som jag tappat hade!

Så det har kommit penningen i huset, sade Karl Orsa. Storslantarna riktigt.

Och mor verkade varken se eller höra, hon gick dittill orgelharmoniet och satte igång att spela, och Karl Orsa stod en stund liksom förlägen och mångrådig, nånting mer borde han ha sagt men det vart int för honom, han stoppade ner penningarna i rockfickan och sneglade oppå mor, och hon trampade fortare än vanligt och spelade Ej guld och rikedom jag har, Min lott är ringa vorden, Men jag i himlen har en far, Om intet stöd på jorden, och mormor gick fram till denne Jakob som hon nästan icke kände och strök honom över kinden som om han varit ett lillbarn, och det var som om detta med arrendet nu hade varit över för tid och evighet.

Sju år vart han kvar, Jakob. Och till och med att han skaffade en ko, han hade lön innestående i Burträsk och han gick dit och hämtade sig en ko och lade på en slant så att dem vart kvitt, det var en svart ko och hon hette Ängla. Han dugde till det mesta, han lappade skorna och gjorde räfsor och likkistor åt folk och han bilade timmer åt dem som skulle bygga, två tjärdalar brände han och tunnorna gjorde han själv och han fiskade och spikade opp gäddor till torkning på fusväggen, men jaga och skjuta kunde han icke, det var skjutögat som han hade tappat. Och mor fick två flickor med honom, Rakel och Sara. Och han skaffade två lapphundstikar och hade dem att valpa, åtta valpar allt som allt, och han hade dem inom ett stängsel hela vintern så att dem vart som vilddjur, och om våren slaktade han dem och beredde skinnen och då det vart hösten sömmade han en päls åt mor så att hon icke skulle frysa ihjäl då hon var ute och for med orgelharmoniet, och hundskinnshandskar för spelhänderna hennes.

Och han såg jämt till att penningarna fanns

så att arrendet vart betalat, det var han noga med, fast det väl icke låg i hans väsen att vara noga med allt, brännvinet var han svag för. Han bekom det hos Karl Orsa, som tog hem det i tunnor från Skellet, Jakob köpte en kanna åt gången och då drack han tills det var slut, det kunde väl taga tre dagar, och efteråt vart han som barnslig, han var ångerfull och grinade och ville att vi skulle förlåta honom fastän han ju ingenting ont hade gjort, och mor fick spela ur Lamsens visor för honom så att det lät som på ett bönemöte, och det var besynnerligt att så liten en karl kunde dricka så tappert och ropa så högt och kraftfullt till Gud.

Minns du det att jag sade far åt honom?

Du kan säga far åt honom Jakob, sade mor, någonting ska han väl hava för allt slitet sitt, och vi får försöka giva honom av det lilla vi har så han inte behöver vara onöjd.

Man ska göra rätt för sig så gott man kan, sade hon även.

Därför kallade jag honom far, fastän jag nog aldrig tänkte annat än Jakob.

Karl Orsa drack också brännvinet. Men icke som Jakob så att han vart full och ömsint och barnslig, utan en liten grut varje dag, så att styvkroppen hans icke skulle stelna alldeles och så att han skulle klara av att tala vid folk. För han var som så allvarsam och mörk i tankarna och det gick tungt för honom att prata, och han skrattade aldrig annat än då han vart tvungen.

Om hösten förståret Jakob var hos oss vart mormor sjuk, det var i magan och en ohygglig pina för henne, du Vårherre vet vad det var men nog var det väl kräfta, och hon tålde icke maten och vart liggande i två månader och just före jul så dog hon. Och det vart mest Jakob som skötte om henne, han verkade som att vara van vid detta på samma vis som han verkade att vara van vid nästan allting, det var han som lyfte opp henne och tvättade henne på ryggen då hon vart sår och det var han som ändå höll henne vid liv litet grand med vällingen och kammade håret hennes och läste Psaltaren och Korintierbreven för henne och då hon var död tvättade han henne en gång till och det var han som snickrade kistan åt henne. Skole ock vi, som starke äro, draga deras skröplighet, som svage äro och icke täckas oss själva.

Sexti om hösten, jag var elva, mor var tjunie,

Eva åtta, Sara fem och Rakel tre, då kom dem och hämtade Jakob. Vad det var sade dem icke, men det var nånting som hade skett oppå den där båten som han hade kommit åt Ume med, det var tack vare Karl Orsa dem fann honom, han hade ansträngt sig mycket i Skellet Karl Orsa för att taga reda oppå vem Jakob egenteligen var, och det var alltså så att dem hade letat efter honom i alla dessa år, sistsaken han gjorde hos oss var att han lämnade mor penningarna för arrendet nästa år.

Dem tog Jakob i slädan, skidorna som han hade kommit oppå vart kvar och Ängla, kon. Samma afton kom Karl Orsa och sade att det var nog så med Jakob att han stal, han stal penningar på den där båten och förr hade han stulit mångahanda, tjuvnaden var en del borti skapnaden hans.

Men krediten har du, sade han åt mor. Visserligen har du ingen karl nu, men jag giver dig krediten i stället.

Och mor hon betalade arrendet i förskott för nästa år och sade att hon int hade vetat att han var tjuvut, hos oss hade han då ingenting stulit, nej han hade mer givit än tagit, men att det fanns förstås int mycket att taga och att det enda hon var inställd oppå var att göra rätt för sig.

Kan du int spela en slatt för mig, Tea? sade Karl Orsa.

Nej, sade mor. Än är jag skuldfri. Men den dagen då jag blir skyldig, då ska jag spela för dig. Då har du rätt åt musiken. Men icke förr.

Sextitvå, genast efter nyåret, kom Karl Orsa. Han var tomhänt utom att han bar en sockertopp åt Sara och Rakel, ärendet hade han icke bråttom med, han hade långrocken som om han var ute och fingick.

Jag var tretton, fast stor var jag ju icke, jag hade varit i dikningen vid Gårdlidmyran hela hösten och haft maten och halv dränglön och mor hade haft spelningar varenda helg, hon var nu över tretti och orgelharmoniet hade tappat en knopp och Rönn var död så att det vart olagat.

Nu står vi oss gott, sade hon då jag kom hem med penningarna.

Det var branog likt henne: Nu står vi oss gott.

Fast arrendet har vi int betalat, lade hon till. Om det icke vore för att arrendet återstår.

Han har ju varit i förtjänsten, sade Karl Orsa. Jani, pojken din. Så nu.

Och mor tog fram penningarna och lade dem på bordshörnet och sade åt honom att räkna dem, själv hade hon icke förmått att räkna denna storhop, han kunde taga det som gick åt för arrendet, det som vart över skulle hon begagna för alla utskylderna i övrigt och för maten och kläderna och saltet till maten och benknapparna och saltsillen som hon hade tagit på kredit i handeln hans.

Men han såg armest åt penningarna, han sneglade på mor och knäppte opp rocken och knäppte igen honom och strök sig över håret och småtrampade med fötterna som om han frös eller var pissut.

Är det sistslantarna? sade han. Dem där?

Nänns du int, Karl Orsa? sade mor. Ömsint behöver du icke vara. Och rätt ska vara rätt.

Jag behöver int räkna, sade han. Det syns ända hit att det icke är halve arrendet. Och sistslantarna tar jag icke. Dem ska ni hava kvar. Jag är ingen ond människa.

Framöver, sade jag. Framöver ska jag uti dikningen igen. Och spada en teg till bakom fuset. Framöver. Och kanske rå mig en häst. Och en tjärdal är icke omöjligt. Framöver.

Men dem hörde mig icke, jag var för liten och spinkelig, rösten min var för klen, dem såg mig icke ens, mor tordes int.

Därför är jag vid gott mod, i svaghet, i förakttelse, i nöd, i förföljelse, i ångest; ty när jag är svag, då är jag stark.

Ängla, sade mor. Kon vår. Henne kan du taga.

Men Karl Orsa sade ingenting, det var int Ängla han ville åt, int heller kontanterna; utan var och en varder frestad, då han av sin egen begärelse dragen och lockad varder, det var mor han ville åt.

En hel ko, sade mor. Om det int räcker, då vet jag icke.

Men han var liksom storbjuden, det var som om han skulle trugas för att taga emot den där kon.

Höet är ändå slut frami mars, sade mor. Vi hava liks för lite. Och vad ska vi då göra? Du kan lika gärna taga henne. Mot vårkanten blir hon bara en börda för oss.

Och änteligen var han ju tvungen att bry sig om denna satans kon.

Jag får väl taga och se oppå henne då, sade

han. Icke för att. Men förty du envisas, Tea.

Och däri fuset klämde han verkeligen på Ängla, skådade benen hennes och for med handen över ryggen oppå henne.

Mått gammal är hon? sade han.

Hon ska vara tie i höst, sade mor.

Hon är som tunn och slankut, sade Karl Orsa.

Och visst var det så, hon var ingen märkvärdig ko, Ängla. En gammko, utan levnadsmod och glädje.

Vårherre, du kände även Ängla. Det var som det var.

Och Karl Orsa granskade juvret.

Småsåren på spenarna, sade han. Och tom i juvret.

Sedan sneglade han på mor, hon var full och fast i barmen. Det syntes att han tänkte: de tissarna.

Men slakt? försökte mor. Som slaktko?

Då vart han tvungen att fara över Ängla en gång till med ögonen och händerna, också slaktdjuren hade han förstånd om.

Hon har icke mycket kött på sig, sade han. Hon är mest bara som en benstomme. Som en tomhässja. Lillmagerkräket.

Och han sneglade på mor igen och det syntes att han tänkte: kött.

Sistförslaget från mor var:

Skinnet? En kohud iallafall?

Men det var liksom ingenting att ens överväga:

Hudar går icke. Icke en endaste köper hudar. Särskilt kohudar. Finns mer gott om hudar än livdjuren. Rent orimligt.

Också mors hud sneglade han på, hon var barhänt och barhalsad, och det syntes att han hade bestämt sig nu alldeles huruledes arrendet skulle bli betalt för detta året.

Musiken skulle han ju hava förstås. Eva var nu tie, det vart hon som fick spela, om kanske mor hade talat vid henne, och hon spelade dansmusiken och psalmverserna och en slatt som mor hade hittat opp själv, och det lät liksom enklare och lustigare för henne än då mor spelade, och då hon hade spelat den där nyslatten sade Karl Orsa:

Den biten har jag icke hört förr. Det var som en tungsintmusik fast han gick fort.

Den biten har jag hittat opp själv, sade mor.

Han heter Karl Orsa polska.

Allting ska hava ett namn, någon säger namnet och det blir bestående, ty såsom människan allahanda levande varelser nämnde, så skulle de heta. Karl Orsa polska.

Och efteråt, då Eva hade spelat så att han var belåten ifråga om musiken, då tog jag Eva och Sara och Rakel med mig ut till fuset, och vi satt hos Ängla som var förunderligt varm iallafall, och Eva läste opp en vers som hon hade lärt sig utantill, hon var besynnerlig då det gällde att lära sig utantill: Du vars Gudahjärta blödde, För att mänskohjärtan gläda, Du som huld de svaga stödde Och i famnen slöt de späda! Jesu! trygg jag överlåter Åt din ledning mina dagar Och av salig fröjd jag gråter, Att du mig så ömt ledsagar. Men vad är, att jag dock bävar, Gjuter tyst en suck av smärta? Herre! faran kring mig svävar, Svagt och värnlöst är mitt hjärta. Övergiv mig ej, ty världen Vill mig från din kärlek draga, Stöd mig, när den falska flärden Vill mitt hopp till dig förjaga. Kvinnans hjärta templet vare, Där din kärlek renast lågar, Hennes känsla mild förklare Vad med oro tanken frågar. Hennes hand åt den, som lider, Tröstekalken vänligt räcke, Och bland mödor, nöd och strider, Mänskligheten vederkvecke.

Herre, till vem skole vi gå?

Om Ängla medan jag kommer ihåg det: hon vart sexton. Då fick hon trumsjuka och vart nödslaktad och nergrävd med skinn och allt, för vi visste ju icke säkert.

Jag stod vid fusdörren och vaktade och såg då han gick. Det syntes icke på honom att han hade utfått arrendet, han verkade icke bära någonting, tvärtom slängde han på ett ovanligt vis med benen och viftade med armarna nästan som om det var han som hade utgivit något och gjort sig oskyldig.

Och då vi kom in igen satt mor vid orgelharmoniet. Låt icke det förtryta dig, Att de, som våld bedriva Och åt sin ondska glädja sig, Så ofta skonte bliva. De skola dock en dag förgås, Och, såsom gräs, till jorden slås, Och vissna och förtrampas.

Och jag fann igen limpannan som Jakob hade ställt in under fusgolvet och limmade fast den där knoppen på orgelharmoniet, MELODIA.

Zuleima, vem hon var vet jag icke. Ingen vet någonting, och jag har verkeligen frågat, men ingen, icke ens prästen. Hon har ett tygstycke kringom håret och som en duk över axlarna och hon håller en långsmal vattenkanna framför sig och klänningen hennes är vit. Hon var på förstbladet i almanackan sextitre.

Vårherre, du vet vem hon Zuleima är?

Sextitre började Karl Orsa med almanackerna. Han köpte dem i Skellet, på andra bladet bakom Zuleima stod det att dem kostade fjorton öre och att det var Norstedt och Söner som hade gjort dem, han gav dem åt störstkunderna sina och på pärmen var det stämplat namnet hans och åt mor gav han dem som någon sorts kvitto.

Om dem hade satt en duk kringom håret på mor och klätt på henne en vitklänning och ett brokigt tygstycke och om dem hade satt in henne i almanackan, då skulle hon ha sett ut som

Zuleima. Tala om en grannmänniska!

Det finns en Zuleima i Rislíden, det är många som har sagt åt mig det, men hon är född sextitre och således döpt efter almanackan.

På förstveckan, tvärs över hela veckan från Nyårsdagen och till Trettondagen, över Abel och Enoch och Titus och Simeon, hade han präntat AVGÄLDEN BETALAD och så hade han skrivit dit namnet sitt på Augustdagen, då månen var i första kvarteret.

Mor ville först icke taga mot almanackan.

Vad ska jag hava henne till? sade hon. Aldrig att jag läser almanackan. Och icke ger du bort henne för intet? Någon uträkning har du med almanackan, Karl Orsa?

Icket, sade han. Men barna kan ju hava henne att bläddra i. Och se bokstäverna.

Jag vill icke vara mer skyldig än jag är, sade mor och försökte trä in almanackan i handen på honom.

Men han gick baklänges mot dörren och drog åt sig handen och sade att det kunde nog vara så att den som syndar på ett, han är saker till allt och att ingen var alldeles utan skuld.

Så tag du almanackan och behåll henne, Tea,

sade han.

Allt som allt vart det väl med åren femton almanacker och vi vande oss vid almanackerna på samma vis som vi vande oss vid allting annat, om vi int hade fått dem skulle vi nog ha saknat dem, sistalmanackan har jag nedi fickan, artonhundrasjuttisju, och däri allihop var det skrivet AVGÄLDEN BETALAD.

Jakob hade lärt mig bokstäverna och den här svenskan.

Han ritade dem med kolbitarna dära fusväggen, andragången då han var hos oss rev han ner väggen och flyttade honom några fot och då snoddes stockarna om och bokstäverna hans vart liksom skingrade och försvann. Fast då behövde jag dem int mer. Så att vi skola tjäna uti ett nytt väsende efter andan, och icke uti det gamla väsendet efter bokstaven.

Så att fastän det var som det var med almanackan så var hon ändå som en glädjekälla.

Konung Karl XV uppsteg på tronen 8 juli 1859. Av fyra förmörkelser, nämligen två i solen och två i månen, som detta år inträffa, bliver blott den senare månförmörkelsen härstädes synlig. Lyckselemarknen hålles den 10 januari och Utan att brev mellan alla inrikes postanstalter äro försedda med portofrimärken a Tolf öre för enkel brevvikt kunna de ej vinna befordran.

Eljest var det svagåren då, oleckligt långa vintrar och frosten i augusti och snön om midsommar och isen dära Långträsket sjuttonde juni, Botolfdagen. Till vem skole vi gå? Åkerjordens bördighet beror av dess sammansättning och lämplighet för de växter, som å henne odlas, skrev du Vårherre i almanackan. Endast när alla villkoren för de odlade växternas yppiga fortkomst äro uppfyllda, kunna rika och lönande skördar erhållas av våra åkerfält.

Mor hon repade sälglövet och vi tog fräknet och starren på Raumyrtjärn och hon hällde hetvattnet över det och gjorde daida åt Ängla, och vi hade även krediten hos Karl Orsa. Och då det vart som värst, för oss på vårt vis och för Karl Orsa på hans vis, då kom han och var hos mor och då han gick så var våra skulder utplånade. Varer ingen något skyldige, utan att I älskens inbördes; ty den som älskar den andra, han haver fullbordat lagen.

Från små och obetydliga frön utvecklar sig

och tilltager allt levande och bliver slutligen mångfaldigt och större än moderfröet, skrev du Vårherre så ljuvligt i almanackan. Det är själva livets under, befruktningens och tillväxtens och födandets under, som låter människorne hämta sitt uppehälle ur jorden. Av ett rovfrö, ej större än ett litet sandkorn, erhålla vi några månader efter sådden en rova om flera skålpunds vikt, den rika och ymniga blasten oberäknad.

I april sextifyra, på Eliasdagen, födde mor en dotter åt Karl Orsa, hon fick heta Tilda, Karl Orsa fick i kyrkboken heta Fader Okänd. Jag var den våren med och lumpade tjärstubbar åt Nikanor i Böle, han skulle om sommaren bränna tre dalar, jag hade maten och dränglön men fick likafullt icke ihop till arrendet, jag var femton. Det var som det var.

Då Tilda var född kom Karl Orsa med en porslinstallrik åt henne. På tallrikskanten stod det med guldbokstäverna LOVISA JOSEPHINA EUGENIA.

Hon ska heta Tilda, sade mor. Icke Lovisa eller någonting annat.

Det är någon kunglig, sade Karl Orsa. Lovisa Josephina Eugenia. Någon sorts prinsessa.

Han hade skaffat sig kindskägget nu och han var icke alldeles styv i kroppen längre utan han hade börjat böja sig framåt en grut som om han jämt såg sig för på ett särskilt vis, det syntes liksom på honom att han var handlare och att han beständigt höll på att räkna ut någonting, för den som aktar på vädret, han får intet, och den som uppå skyarna skådar, han skär intet upp.

Vad menar du med denna tallriken? sade mor. Är han som någon sorts kvittering?

Men då vart han liksom förskräckt och vek undan.

Jag trodde väl bara att du skulle tycka om honom, sade han. Han är gjord i Tyskland. Äkta benporslin.

Så att det är int för att du är farn hennes?

Vem som är farn åt barna dina, det vet bara Vårherre, sade han och han lät nästan nedstämd som om han menade att det verkeligen var på det sättet.

Men du är enden som har kommit dragandes med en porslinstallrik, sade mor.

Det är ju som en minnessak bara, sade Karl Orsa. Jag rår ju om stället ditt, Tea, och vi är ju ändå bekanta.

Och mor hon ville icke divla mer, det var som det var och hon lät alltihopa rinna av sig och hon tog fram röktköttet och dricka och sade åt Eva:

Tag och spela en par bitar du Eva.

Och Eva spelade Karl Orsa polska och Kängskovalsen och Vaka själ och bed och Den blomstertid nu kommer och Kukumaffens visa och vadän hon spelade så lät det som en sorts lovsång.

Hon var alltså dotter åt Ol Karlsa som var Karl Orsas far så att hon var halvsyster både åt Tilda och åt farn hennes och dessutom faster åt sin egen syster och nästan liksom svägerska åt sin egen mor. Det var som det var.

Att leva utan att komma i skuld, det är omöjligt, så har du Vårherre danat livet. Och ju mer man tar uti och anstränger sig, desto större blir skulden, och det som återstår att betala då man har gjort sitt yttersta, det ska Nåden taga hand om, men Nåden är som en villkorlig och osäker sak.

Eva hon ville nödvändigt hava en fiol.

Jag har fiolhänderna, sade hon. Det syns ju, det är meningen att jag ska spela fioln.

Och det kunde nog vara sant: långsmalfingrarna hennes var som skapta för att mjölka korna och spela fiol, dem var förkrövligt starka men ändå mjuka, hon kunde göra dem krokut åt vad håll hon ville.

Och Karl Orsa hade väl sneglat på händerna hennes. Eller ock hade hon hållit fram dem under ögonen hans och sagt:

Har du sett spelfingrarna mina? Fiolhänderna?

Han skaffade fioln i Skellet och hängde opp honom däri handeln så att alla som tyckte sig hava fiolhänderna skulle se honom, han var brunstrimmut och blank och stråken var också med och en lillgrönlåda som hartset låg nedi, och fioln hängde framom seltygen och kättingarna och rävsaxarna och träljarna och allting annat som Karl Orsa hade däri handeln.

Ska du icke giva fioln åt Eva, sade han till mor. Krediten har du ju. Och ni kan spela ilag. Då hon ser fioln blir hon styv som en istapp och blank ini ögonen och hon hör icke att man pratar vid henne och hon kan stå där timvis. Du ska icke vara oresonlig, Tea.

Om endast det hade varit nånting annat, sade mor. Vadsomhelst annat.

Hon menade: om det icke hade varit musiken. Allting kan man neka ifrån sig, men icke musiken.

Så det var ju liksom tvunget.

Karl Orsa kom själv och bar fioln, han hade skaffat en avlånglåda åt honom och stråken låg också i lådan och runtkringom lådan var det ett blanksnöre, och Eva tog fioln och hon visste genast hur hon skulle bära sig åt. Hon hade redan börjat få tissarna, och hon satte fioln mellan dem och höll honom rätt ut framför sig och satte igång att skruva och knäppa och stämma honom, det syntes verkeligen icke att det var förstfioln hon höll i, och sen tog hon stråken och drog som försiktigt fram och åter ett par tag över strängarna, och försanningen: sen spelade hon!

Och hon hade verkeligen fiolhänderna. Vårherre, vad hon spelade!

Jag minns icke vad bitar hon drog, icke ens att jag minns hur det lät, jag har aldrig haft anlagen för musiken, men vi vart som mållösa och flata, mor och jag och Karl Orsa, lära sig fioln behövde hon icke, sen födsla var allting klart för henne, till och med att du Vårherre hade gjort gropen mellan tissarna som en lagom fotapall för fiolkroppen.

Men Lärkans sång minns jag att hon spelade. Lärkans sång är icke lång när regn och storm henne tvingar.

Och jag minns att hon lutade sig fram över honom så att långblankhåret hennes låg mot stråken och stråkhanden hennes, och mor ställde sig bakom henne och lyfte opp håret så att det icke skulle vara i vägen för musiken och flätade det och gjorde en storknut mitt oppå huvudet på henne, och det var som om Eva var alldeles ensammen med fioln, icke ens att hon kände då mor satte opp håret på henne. Karl Orsa satt på vedbänken och sneglade på henne, då han var hos oss satt han nästan jämt på vedbänken, fioln var ju obetald än så att det var väl som om han rådde om musiken, han vickade på fötterna och såg oppå henne, hon var tretton och mor över tretti, och bönderna häromkring har alltid tyckt om musiken.

Jag skulle aldrig ha kunnat hålla fioln så där som Eva, bröstkorgen min är liksom rund och bröstbenet sticker ut som oppå en tupp, engelska sjukan påstår doktorn att det beror på, hon ändrade sig aldrig ifråga om det där, så länge hon levde och kunde spela så höll hon fioln på det där viset, mellan tissarna.

Vad han kostade vet jag icke, om det alls fanns något pris i riksdaler och ören, det nämndes aldrig och för mor var det så: fioln var viktigare än priset. Karl Orsa visste väl någotsånär vad han ville hava och det var icke penningarna, och att det var en värdefull fiol det hördes ju genast.

Om vintern då Eva fick fioln, jag var då sexton, då gick jag hemma och hade ont inne i bröstet, det satt nånting där som icke gick att hosta ut, jag fick det om hösten och vart svag och bedrövlig, ingenting utom någon vedhuggning och skotta nagrut snö och laga några skopar rådde jag med, om icke mor hade haft spelningarna och krediten och levnadsmodet så vet jag rent icke. Men det gick en dag åt gången och det var som det var och till vem skole vi gå, och om aftnarna sen det vart mörkt spelade mor och Eva, och jag låg med småsystrarna i gustajanschasängen, och dem spelade hela psalmboken och dansmusiken och bitarna som dem hittade opp ilag, för bröstet åt jag kåda och tog bröstdropparna men det var som om musiken lenade mer.

Vi behöver aldrig tända opp några ljus om kvällarna, sade mor, för vi hava ju musiken.

Hon var fortfarande som så ljus inne i sinnena.

Sextifem och sextisex födde hon två barn åt Karl Orsa, Fader Okänd. Först en flicka och hon gav bort henne åt ett barnlösfolk i Brännberg, och sen en dödföddpojke. Han kom för tidigt och lär ha varit brun i håret som Karl Orsa, hon fick honom då hon var i Kusträsk och spelade, det var mitt i natten och hon hade spelat färdigt, hon tvärvart sjuk då dem skulle lyfta ut orgelharmoniet och fick honom på salsgolvet där dem hade dansat, om han hade levat skulle hon ha kallat honom Linus efter en karl som brukade spela psalmerna åt aposteln Paulus i andra brevet åt Timoteus.

Det var sistbarnet hon fick.

Då om hösten, den hösten, då kom Jakob tillbaka.

Vårherre hade sagt åt honom att han skulle fara tillbaka till oss, det påstod han.

Var det verkeligen sant?

Han var icke samma karl längre, icke ens samma människa. Skägget hans var oklippt och kläderna söndriga och icke såpass som ett skidpar hade han att taga sig fram med och det var som om han kom för att han trodde sig vara tvungen, han var moloken och tyst, Sara och Rakel brydde han sig armest om fast det var han som rådde om dem. Förstkvällen var mor så glad åt att se honom att hon icke kom till insikt om att han hade gått genom nånting som gjort honom annars både utanpå och inne i. Hon och Eva spelade för honom och mor pratade vid honom utan att höra att han icke svarade och om kvällen flytte hon sängarna och bädde om så att allting skulle vara som det var innan dem kom och hämtade honom.

Arrendet, syntes det att hon tänkte, och krediten och avbetalningarna på fioln, nu är det förbi med prövningarna. Men då detta begynner ske, resen eder upp och upplyften edra huvud; ty då nalkas eder förlossning. Och medan hon stökade och gjorde klart för natten och medan hon klippte av skägget på Jakob så småsjöng hon och pjollrade för sig själv som ett lillbarn.

Och det var icke utan att vi allihop trodde att Jakob var någon sorts förlossare. Förstmorgonen han var återkommen stegade jag iväg till Karl Orsa. Han satt i lillrummet bakom handeln, och han såg icke opp då jag kom men han såg mig nog ändå.

Nu har Jakob kommit tillbaka, sade jag.

Men Karl Orsa sade ingenting, han slog opp en bok som låg framför honom och bläddrade som om han letade efter ett särskilt ställe som han hade oläst.

Du minns honom Jakob? sade jag. Han som du såg till att han vart skaffad bort?

Men det var som om han icket orkat tänka efter vem nu denne Jakob var. Och jag kände att jag vart mer och mer stursk och kaxut.

Så att hädanefter blir det bara kontanterna, sade jag. Det ska du veta, Karl Orsa, ingenting annat än penningarna. Och jag ska också uti förtjänsten. Så att hädanefter.

Då tittade han opp och sade:

Så han ska vara som en underman, han Jakob.

Och just då jag skulle svara, då han änteligen hade börjat prata, då kom hostan. Det var den värsta hostan i hela mitt liv, hon kom djupt inifrån bröstet och hon rev som en hand med ohyggligt vassa naglar bakom bröstbenet och hur länge hon varade vet jag icke men jag trodde jag skulle domna av, det var som om hela kroppen min var uppfylld av den där hostan. Och till slut så kände jag att det var nånting som slapp inne i bröstkorgen, nånting som kom opp genom halsen och var stort som ett ägg så att strupen nästan icke rack till och då jag fick det oppi munnen så tvärstannade hostan och jag spottade ut det i handen. Det var en svartklump, och han var alldeles rund och hård, då jag provade med nageln så vart det bara ett litet märke utanpå.

Och från den stunden, efter den hostan, så vart jag alldeles frisk och har aldrig mer känt av nånting i bröstkorgen.

Karl Orsa steg opp och kom och tittade på klumpen i handen min. Är det blon? sade han.

Det kan jag väl aldrig tro, sade jag. Jag har då aldrig hostat någon blo förr.

Men nog ser det misstänkt ut, sade han. Levreseblon.

Och sedan var det som om han ville påminna mig om ärendet mitt:

Du ska nog icke uti förtjänsten än på ett tag, pojk. Du ska nog icke taga uti för mycket. Då man hostar blon ska man vara försiktig.

Men jag kunde icke taga blicken från den där svartklumpen, allting stod stilla för mig, jag hade som tappat bort varför jag var där, det var som om jag hade hostat bort alltihop som jag hade tänkt ut, det vart ingenting mer för mig, och till slut så gick jag därifrån utan att ha fått göra opp färdigt med Karl Orsa. Och det var kanske lika så bra. Svartklumpen bar jag hem och mor och Jakob kunde icke heller räkna ut vad det var.

Mor hon såg och förstod ganska snart att Jakob icke var sig själv längre, det var dålig ordning på det han pratade, han sade mycket om vad han skulle göra men det vart ingenting gjort, han skulle fara dit och dit i förtjänsten men han kom aldrig iväg, och han tog fram verktygen och sakerna och tillfången och skulle laga allt möjligt som var söndrigt, men det vart bara liggande efter honom, och långa stunder satt han och var liksom borta och hörde icke att hon pratade vid honom, det var som om han hade tappat all kraften, och han sade aldrig ett ord om vart dem hade skaffat honom den där gången då dem hämtade honom och var han hade varit alla åren.

Och brännvinet kunde han rent icke vara utan nu. Karl Orsa bestod honom med det, jag ska tväreste gå diti handeln, sade han ofta liksom apropå, jag får ont i benen av att sitta rolig så här, är det nånting du behöver, Tea?

Men aldrig att hon behövde nånting, hon hade nog och övernog, och hon begrep så väl att en fullväxt karl icke bara kunde sitta rolig och ingenting göra, så gå en vända du Jakob, jag ska koka så att det finns ett par kallpotaten åt dig.

Då mor vart trettifem kom han och gav henne en blankkedja av metallen att hava kringom halsen.

Och han vart så livat och godsint av brännvinet, han ville att Eva skulle spela och han tog mor och dansade med henne, ingen av dem var någon stordansare för mor hon hade ju jämt stått för musiken och han hade liksom icke anlagen, så att det vart som en ovanlig och oredig dans och på slutet föll dem alltid omkull. Och han pratade vid mig som han annars icke gjorde, allt vad vi skulle taga oss för med framöver, en häst och en ko till och dikningen och lägga på ett par stockvarv och göra en kammare oppå vinden och att det nog icke skulle vara omöjligt att friköpa hemmanslotten eller att det fanns ju andra ställen som man kunde övertaga eller att man kunde lämna det här stället öde, detta satans myrlandet, och draga ut till Baggböle eller Holmsund och vara bolagsarbetare och leva på penningarna och icke hava några bekymmer, för en bolagsarbetare han är som en lilja på marken, och att för två riktiga karlar var ingenting omöjligt framöver. Det var som om du Vårherre gav oss en särskild nåd och kraft då vi satt där om kvällarna, mor hon brukade gå i säng för hon var icke mycket för att planera på det där viset.

Det var som det var.

Om arrendet pratade vi icke. Arrendet var en småhet och penningarna hade han väl ändå, och Karl Orsa var ingen märkvärdig karl, han skulle icke tro att han var satt att regera som en annan småkonung för all tid, det var icke alla som lät sig tryckas ner i skobaklädren av en handlare som aldrig varit längre än åt Skellet.

Det var den vintern som Karl Orsa bytte namn till Markström, han ville hava ett riktigt handlarnamn. Men det var ingen som fäste sig vid det, så det vart bara däri kyrkboken.

Vårherre, planerar du nånsin och fablar på det där viset som jag och Jakob gjorde då om kvällarna då han var lite smakad? Man vet att det är som osäkert alltihop, men ändå så tror man. Fast du har väl icke bruk för någon tro, Herrans råd bliver evinnerliga, hans hjärtas tankar i evighet. Allting har du utstakat ifrån begynnelsen, varenda liten småhet, och vi kan prata och hitta opp mått vi vill, dina rådslut bestämmer alla våra steg.

Karl Orsas steg var korta och försiktiga, han gick som om han var mån om någon sorts värdighet, nästan som en kyrkvärd, han trodde att han hette Markström.

Vi visste att han skulle komma, ändå kändes det som oförtänkt, mor och Eva hade spelat i Kattisliden och hade kommit hem om morgon, jag satt och skar en dockskalle åt Tilda och Jakob låg åtvid mor och var nog en aning bakfull. Karl Orsa hade almanackan för sextisju i näven, och jag tänkte att nu kommer Jakob att stiga opp och taga fram penningarna.

Så ni har int gjort dagen än, sade Karl Orsa.

Vi visste icke att det skulle komma storfrämmen, sade mor.

Då sade Karl Orsa:

Älska icke sömn, att du icke skall fattig varda. Låt dina ögon vaken vara, så får du bröd nog. Bibelsprängd var han.

Vi har icke sovit, sade mor. Vi har spelat däri Kattisliden.

Och han satte sig på vedbänken medan dem steg opp och drog oppå sig kläderna, han verkade hava gott om tid, han lutade sig mot spismuren och bladade fram och åter i almanackan, kungahuset och himlakropparnas rörelser och kreaturens oftast förekommande sjukdomar, fioln låg dära bordet, Eva hade en duk kringom honom och jag fick för mig att han påminde om ett lillbarn där han låg, han var fortfarande obetalad.

Jakob satte sig på pallen åtvid dörren så att det nästan verkade som om han också var främmen och mor öppnade källarluckan och lyfte opp drickan ur källarn, Eva tog fioln och lade undan honom bakom sängen och jag lade oppå ett par vedträn däri spisen, småflickorna dem satt bara och kikade oppå Karl Orsa som dem jämt gjorde då det kom främmenfolket.

Och jag kunde icke begripa var Jakob hade penningarna. Kanske att han hade dem däri uthuset och att det var därför han nödvändigt skulle sitta åtvid dörren. Oberäknelig var han ju, han satt och gned sig däri blindögat, han hade fisit ihop och såg ut som en bortiblekad abborrpöppel, men kanske att han ändå var en Guds underman, han ville icke hava drickan som mor bjöd ut åt honom.

I Skellet tror dem att det ska bli dyrtiderna, sade Karl Orsa. Rent oleckligt. Inga penningar vill förslå.

Om man icke har penningarna behöver man icke bry sig om dyrtiderna, sade mor. Det är som en fördel. Dyrtiderna är värst för dem som hava penningarna.

I handeln är man ju tvungen hava kontanterna, sade han. Utan kontanterna får man sluta med handeln.

Vill du hava mer dricka? sade mor.

Och han ritt fram muggen, och sen drack han, alldeles som om han hade varit törstig.

Var är Jakob? sade mor.

Och då fick jag se att han icke satt kvar åtvid dörren.

Han gick ut en vända, sade jag. Han fick värken däri benen.

Jag ville icke säga: han gick diti uthuset för att hämta penningarna som han lagt undan. Jakob hade väl tänkt sig att vi skulle bli som överrumplade. Han ville nog komma såsom en tjuv om natten och trycka ner Karl Orsa neri skobaklädren med kontanterna.

Och det syntes att mor tväreste vart tankfull och fundersam. Kanske ändå att?

Och hur är det annars i Skellet? sade hon för att prata bort den stunden som det kunde taga för Jakob att kanske komma tillbaka.

Du vet väl hur det är i Skellet, sade Karl Orsa. Mycket affärsering och sjådasamt och oroligt. Men det är ju tvunget för min del. För handeln.

Mor hade aldrig varit så långt som åt Skellet. Åt Norsjö hade hon varit på tre jordfästningar.

Jo, sade hon, det vet man ju. Skellet. Det är

som Babylon.

Och dem pratade branog länge om Skellet, folk som hade farit dit och icke kommit igen och tattarna som hade slagits med burebönderna däri kyrkstan och prästen som dränkte sig i Ursviken och att inne i stan försökte dem prata så fint att det var nästan omöjligt att förstå vad dem sade. Och mor sade att om icke röktköttet hade varit oppätet skulle hon ha tagit fram det och han sade att han verkeligen icke var utan maten och att han fick som koliken av röktköttet. Men ingen Jakob. Han gick dita skithuset först, tänkte jag. Han vill att vi ska ha oppgivit hoppet. Men då ska han komma.

Men värst är det med penningarna, sade Karl Orsa. Det är som om dem aldrig ville förslå i Skellet.

Och nu var mor branog rådlös.

Jo, sade hon. Penningarna. Dem är skrup. Dem är som dem är.

Så att det här arrendet, Tea, sade han. Du har haft det ohöjt ända sedan farsgubben dödde.

Jo, nog är det sant, sade mor.

Han var så goaktig, farsgubben, sade Karl Orsa. Han hade svårt för att taga rätt av folk.

Nej, Jakob han hade icke bara tvärgått dita skithuset. Han hade inga penningar däri uthuset. Han kom icke tillbaka. Åtminstone icke medan tid var.

Så att tre riksdaler till, sade Karl Orsa. Man vill ju icke vara vrång.

Du gör som du vill, sade mor. Men kontanterna, det vet du, dem har jag icke.

Och sedan sade hon:

Du Jani, du kan taga och gå och se åt om du kan finna åt Jakob. Och Eva, kan du taga Sara och Rakel och Tilda ut i fuset och stöka till daida åt Ängla.

Men Jakob hade gömt sig väl, jag gick ner genom hela byn och jag sprant halvvägs till Stortjärn och jag ropade Jakob in i skogen, men icket, på skithuset eller däri uthusboden var han icke heller, och det var så kallt att haspen däri uthusdörren fastnade i handen på mig. Det har gått för Jakob som för far min, tänkte jag, han har blivit tokut, om han överlever detta och kommer igen så får dem skicka honom dita Pitholmen, mor har en krövla otur med karlarna sina.

Då jag kom hem såg jag att Karl Orsa hade ogått än, hundskinnpälsen hans låg mot fönsterrutan, så jag gick diti fuset och hjälpte Eva att göra daida åt Ängla.

Om ett tag kom mor och sade att nu hade han gått och att det var som besynnerligt med Jakob att han bara försvann på det där viset, och dåligt klädd var han, och att nu skulle vi gå in och koka potaten och att Karl Orsa hade haft en bit syltefläsket i pälsfickan som vi skulle få åttill.

Dära bordet låg almanackan för sextisju och syltefläskbiten och en tygbit som Tilda skulle hava och en sockertopp.

Om kvällen då vi hade lagt oss kom Jakob, han var så kall att han armest kunde gå. Han satte sig på pallen åtvid dörren där han hade suttit innan han gick och han sade icke ett ord, men mor steg opp och tog honom och ledde honom till sängen och han lade sig utan att taga av sig kläderna och till slut fick hon ändå livet i honom.

Fast om morgon då vi vaknade var han borta igen och mor hade aldrig känt att han steg opp bortur sängen, men nu sade vi att han kommer nog igen för han tål ju icke kylan.

Men mitt på dagen hade han fortfarande okommit. Då kom dem från handeln, det var en av Karl Orsas pigorna, och sade att mor var tvungen att komma, det var om Jakob.

Då vi kom dit så var Jakob det första vi såg, det var liksom oundvikligt. Han satt oppå murpipan på Karl Orsas huset, han satt alldeles rolig och stödde skallen i händerna och han såg varken opp eller ner, gårdsfolket stod på gården och koxade på honom. Karl Orsas huset är ju omåttligt stort och murpipan hans är högre än alla andra murpipor, det var som om Jakob hade försökt draga sig undan så högt opp som det bara kunde gå, som om han hade letat efter det yttersta, och Herre, till vem skole vi gå?

Är det bössan han har över knäna? sade mor.

Det är lodbössan, sade Karl Orsa.

Han rår icke om någon bössa, sade mor.

Han kom tidigt i morse och ville köpa henne, sade Karl Orsa. Och jag gav honom krediten. Och kruthornet och svartkrutet och tändhattarna och kulpåsen.

Om han ska komma att skjuta sig? var det då någon som sade.

Icket, sade mor.

Och dem började prata om att han nog skulle frysa ihjäl, han var dåligt klädd och däroppe i himlen var det ju så förgjordat klart och kallt, ännu kallare än nere på jorden där vi stod. Men då sade Karl Orsa att så länge dem höll liv i spisen så var det ingen fara, Jakob var varmare till än vi de andra, bakom ryggen hans syntes ju till och med tunnblåröken från björkveden och alveden som dem eldade med. Så icke för det.

Och några av oss gick fram så att vi bara såg skallen hans över taket och skrek åt honom att han skulle taga sitt förnuft tillfånga, du hörde oss Vårherre, att han skulle kasta ifrån sig lodbössan så skulle vi giva honom stegan som han hade sparkat undan efter sig och kliva ner, för det var alldeles fåfängt att sitta däroppa murpipan. Karl Orsa gick in efter brännvinet och höll opp det och sade att han skulle få en duktig sup om han kom ner och jag skrek åt honom att framöver och den där hästen som vi skulle och lillkammarn oppå vinden och myrtegen bakom fuset och Baggböle och Holmsund, och en karl från Kläppen som var kusin åt Karl Orsa och gift med en halvsyster åt Nikanor i Böle skrek att han skulle hava förbarmande vid barna sina och komma ner, för alla småbarnen behöver en far, själv hade han haft påsasjukan och var barnlös. Men det var som om Jakob var döv och blind, icke ens att han skakade på skallen, han satt bara alldeles rolig.

Och det var ju givet att dem som bodde icke alltför långt bort fick höra talas om att Teas Jakob hade klivit opp dita Karl Orsas murpipan och att nu satt han där med lodbössan och att det kunde hända vad som helst, ingen kunde veta huru det skulle gå, för Guds skapelse är utan ände. Så det kom dit mycket folk för att se Jakob, och dem gjorde elden mitt på gården och där stod dem och värmde händerna och pratade, och storhopen trodde att han bara hade blivit tokut och att han skulle väl kliva ner så småningom. Och någon sade att det nog var Karl Orsa som hade lejt honom till dessa tokforana för att draga folk diti handeln. Och någon visste att samma sak hade hänt med en karl i Avaträsk, han somnade av och föll ner och slog ihjäl sig, dem som satt oppå en murpipa fick man icke låta somna av.

Men då dem började prata om att han kunde taga och börja använda lodbössan och att han kunde skjuta ihjäl vem han ville så bra som han satt, då vart det som oroligt dära gården och det var flera som drog sig in i handeln för att icke bli skutte. Fast då sade mor, och det var det enda hon sade på hela tiden som hon var där:

Han är ingen skytt. Han har tappat skjutögat.

En del vart bjudna på maten hos Karl Orsa. Dem fick stektköttet, det kändes på lukten då dem gick däri dörren.

Och Jakob han satt där han satt, det syntes icke att han brukade få värken av att sitta rolig.

Om afton hittade Karl Orsa på att dem skulle röka ner honom med kornhalmen. Och det vart verkeligen hemsk en rök, Jakob och murpipan försvann alldeles, röken lade sig som en storsvartklump oppå taket och vi sade att nu jästringen! Men sedan kom det en liten pust och blåste bort alltihop, och då satt han där alldeles som förr igen.

Mot afton började det snöa, då det vart mörkt gick vi hem, Karl Orsa satte två karlar att sköta elden och liksom hålla uppsikt. Om morgon då det vart ljust satt han icke på murpipan, huru han hade burit sig åt för att komma ner vet ingen, det gick icke att se nånting i nysnön, lodbössan hade han ställt mot väggen åtvid dörren.

Samma dag kom Karl Orsa med bössan.

Ingen kommer att vilja hava den här bössan, sade han. Hädanefter. Så jag tänkte att du Tea.

Vad ska jag med lodbössan? sade mor.

Pojken din. Jani. Åtminstone någon ekorn kan han skjuta.

Hon är branog dyr? sade mor.

Du har krediten, Tea, sade Karl Orsa.

Och jag vart ju som glad. Det var nysnön, jag provsköt henne mot en kvist i fusväggen, nerom liden såg jag en hära men hant icke få dit tändhatten, hitom Stormyran sköt jag två ekornar.

Om betalningen då mor och Eva spelade: ibland fick dem en fårbog eller ett fläskstycke eller en spädkalvskank och ibland fick dem kontanterna. Det gick så till att någon av dansarna tog en mössa och gick runt så det vart som då dem taga opp kollekten däri kyrkan, mest vart det småkopparslantarna men någon silverslant ock ibland. Då det vart vardagen bar någon av oss penningarna till Karl Orsa och han räknade dem och skrev opp dem däri boken där skulderna stod.

Jakob hade haft en egen sida i den boken, det fick mor veta då han hade försvunnit. Mest var det brännvinet, men även ett kängskopar och ett halsband av blankmetallen och fyra snuspaket.

Jag har strukit ut namnet hans och satt dit namnet ditt, Tea, sade Karl Orsa. Det är ju så med skulderna att någon måste taga dem oppå sig.

Halsbandet kan du få igen, sade mor. Och stryka ut det borti boka.

Dem går icke att sälja, halsbanden, sade då Karl Orsa. Jakob var enden. Annars vill ingen hava dem. Men Jakob, han var sådan.

Och om krediten sade han:

Du ska icke tro att du är ensammen, Tea. Meste ingen är skuldfri. Till och med storbönderna har jag däri boken. En trofast man varder mycket välsignad, men den där fiker efter att varda rik, han skall icke oskyldig bliva, så därför finns det meste ingen som är skuldfri.

Men du Karl Orsa, du har ändå inga skulder, sade mor.

Penningskulderna, sade Karl Orsa, dem är ju en sort för sig.

Och så fortsatte han:

För att nu icke tala om räntan. Till och med Jesus Kristus sade att man skulle taga räntan. Att man var ond och lat om man icke såg till att man fick räntan. Om man har en skuld inför Vårherre då måste man se till att man får hans förlåtelse då och då, och räntan oppå en penningskuld, hon är som Guds förlåtelse för att man icke kan betala alltihop i en gång.

Och när ska du hava räntan? sade mor.

För dig räknar jag icke räntan. Det går rent icke.

Sommarn sextisju frös potaten i juli och vårn hade varit så sen att kornet sköt axen först i augusti och då var det allaredan frostbränt. I september slaktade vi tackan, då var det redan snön och i oktober bar isen på sjön. Den vintern hade vi icke överlevat utan din nåd Vårherre och krediten hos Karl Orsa, det var som om du och Karl Orsa hade kommit sams om att hålla livet i oss, han sade att det var för musiken han kom och innani hundskinnpälsen bar han potaten och fläskbitarna och mjölet och till och med sockret, han kom nog meste en gång i veckan och han var noga att ingen skulle veta vad han hade under pälsen, och var gång han kom fick vi gå undan ett tag och mor betalade av på skulden. Så att medan dem svalt överallt annars gick det någomlånnom för oss, jag sköt någon härа ibland och torrfisken hade vi och veden fanns det så vi frös icke. Oppå hela vintern hade mor tre spelningar och det var gravöl, fioln ville dem icke hava utan bara orgelharmoniet, dem trodde icke att det gick att spela sorgemusiken på fioln, men någon betalning fick hon icke, sorgemusiken kan man ju int betala för.

Men för Karl Orsa var det som goda tider, om vårn tog han över hela Böle by och halve Kläppen, två tusen hektar skog och hårdlandet och myrarna och ängesslåttern, och hur det gick till vet jag icke så noga, bara att då vintern var över var det hans. Och fram i juni var han enden som hade utsäde både åt sig själv och att sälja.

En dag om hösten sextisju då vi satt och åt fick mor nånting skarpt i mun och då hon tog ut det var det en tand, och hon skrattade till och sade att det verkeligen var på tiden att hon tappade mjölktänderna. Men sedan slapp det någon tand meste var dag, och innan jul hade hon icke en endaste kvar, den dagen då hon fyllde trettisex tappade hon sisttanden. Och det var som om hon föll ihop i ansiktet och vart gammal.

Har du tappat tänderna? sade Karl Orsa. Och du som har varit som en skönhet.

Mått stor skulden var då vintern var över det vet jag icke, hon måste ha varit kuselig, hon kan icke ha rymts på en sida däri Karl Orsas boken, kanske hade han nu gjort det så att det fanns en enkom bok för oss.

Då det vart nyåret kom han om arrendet, och från den dagen är du Vårherre alldeles obegriplig för mig. Det var så kallt att tramporna hade frusit fast däri orgelharmoniet så det gick icke att spela på och vi satt kringom spisen för att hålla oss värmen. Men då Karl Orsa kom tog Eva genast fram fioln för honom var det ju inget fel på, och hon satte honom mellan tissarna och spelade, och vi pratade ingenting för Karl Orsa ville hava det på det viset, han var som konung Saul att han kände lindring av musiken och det vart bättre med honom. Han satt och höll fram händerna mot spisen och vickade med kängskorna och sneglade på Eva.

Då hon stannade opp för att vila fingrarna en liten stund, snodde han sig mot mor och sade:

Mått gammal är hon nu? Sjutton?

Hon är femton, sade mor. Men stor efter åldern.

Du har tvärgammlese, Tea, sade han.

Och mor var tvungen att hålla med:

Tiden går ju ingen förbi och ingen blir yngre.

Och hon lade till:

Men du står oppå dig bra, Karl Orsa.

Och det var sant, han stod oppå sig bra, han hade lagt ut en aning och verkade välmående, håret var fortfarande svart och blankt och ansiktet var slätt utom vecken oppi pannan som han jämt hade haft.

Vi skulle väl taga och göra opp, sade han. Affärerna våra.

Ska jag icke taga fram drickan? sade mor. Och Eva har hittat opp några nybitar som du int har hört.

Jag har tänkt mycket på dig, Tea, sade han. Att du skulle sätta ifrån dig. Pojken din är snart tjuge. Och äldstflickan är fullväxt. Så att du slapp bekymren.

Jag har ingenting att sätta ifrån mig, sade mor. Vad skulle jag sätta ifrån mig?

Du har skulderna, Tea. Och arrendet.

Det är som det är, sade mor. Och vi gör så gott vi kan. Mer kan ingen av oss göra.

Och då sade han alldeles klart vad han tänkte:

Jag vill göra opp med Eva hädanefter. Om nu icke Jani kan draga ihop penningarna. Fast som enklast vore ju en oppgörelse med Eva. Och jag är ingen ond människa.

Då mor insåg huru han menade vart hon blek som ett lik och steg opp från stolen och hon var liksom osäker på benen som om hon skulle svimma av, och sedan gick hon tvärsöver golvet och lade sig dära sängen och ingen sade ett enda ord.

Herre, till vem skole vi gå?

Men till slut satte hon sig opp däri sängen och så sade hon:

Icket. Då får du heller dräpa mig, Karl Orsa.

Vad skulle jag hava för glädje av att dräpa dig, Tea? sade han. Jag vill ingenting ont, jag vill bara hava en oppgörelse.

Barna mina är ingen handelsvara, sade hon. Barna mina är icke hästskosömmen och bomullstyget och kardusen. Penningarna är dem icke heller.

Och då teg han ett tag. Men sedan sade han, och då lät han både ynkelig och angelägen:

Men jag är ju förtjust uti henne. Förstår du det, Tea, jag är förtjust uti henne.

Och då sade mor, och nu trodde hon att saken var avgjord:

Hon är halvsystern din. Ol Karlsa var far åt

henne. Ni är halvsyskonen.

Du skall icke blotta din systers blygd, den din faders eller moders dotter är, lade hon till. Förty de som göra denna styggelsen, deras själar skola utrotade varda.

Men det var icke för intet han var handlare, han hade tänkt sig för och förberett sig:

Jag har talat vid prästen, sade han. Hon har ingen far. Fader okänd, sade prästen. Då kan det icke vara Ol Karlsa, han var icke okänd.

Och mor hon teg, det var som det var, svara icke dåranom efter hans dårskap att du honom icke lik varder, Karl Orsa var besatt, hon skulle icke divla med honom.

Men om du icke vill hava en oppgörelse, Tea, sade han. Då är lagsökningen det enda. Rättvisan ska ju hava sin gång. Då är det ingenting jag kan göra.

Här finns ingenting att taga, sade mor.

Ett får, sade Karl Orsa. Och en slaktko. Och orgelharmoniet. Och fioln.

Du kan taga allt, sade mor. Men Eva rör du icke.

Då steg han opp och gjorde sig klar att gå, och då han hade tagit oppå sig pälsen gick han fram till Eva och tog fioln borti händerna på henne och stack in honom under armen, och då han stod däri dörren sade han:

Tänk dig om en gång till, Tea. För din egen skull och för barnas.

Då han hade gått vart det alldeles tyst, ingen av oss visste hur vi skulle bära oss åt eller vad vi skulle säga. Till slut sade mor:

Än kan nog Vårherre göra under. Och om man övergiver hoppet, då övergiver man allt.

Och hon tog fårfettet som jag hade åt lodbössan och smorde trampanordningen däri orgelharmoniet så att tramporna lossnade och så satte hon igång att spela, och hon spelade icke psalmerna utan dansmusiken och gladlåtarna och till och med att hon sjöng Kukumaffens visa för oss, och det var som om det vart en aning lättare att andas och som om Karl Orsa icke riktigt hade makt att göra alldeles som han ville vid oss. Jag har aldrig i hela mitt liv förmått att få fram en enda melodi, icke såpass som en psalmvers, du vet det Vårherre, men ändå skulle jag icke ha levat idag om det icke hade funnits musiken.

Och Sara och Rakel tog fram tallkottarna och

gjorde grisar och kor och getter dära golvet åt Tilda.

Men då mor hade gått diti fuset, då klädde Eva på sig och gick ut, och jag trodde att hon bara skulle gå en vända för att icke behöva sitta rolig och tänka på fioln och allting annat. Fast då mor kom in borti fuset så hade hon fortfarande icke kommit igen.

Och mor hant göra i ordning för natten och stoppa om Tilda innan hon kom, och då hon ändå till slut kom då bar hon fioln under armen och däri handen hade hon almanackan sextiåtta.

Mor hon sade ingenting, hon gick bara diti fållbänken och lade sig på magan och hela kroppen hennes skakade som om hon höll på att frysa ihjäl, och då hon änteligen satte sig opp var hon lika gammal i ansiktet som mormor var just innan hon dödde.

Till vem skole vi gå?

Men Eva hon satte sig åtvid spisen och gick över fioln med spelfingrarna sina som för att känna efter att han var helbrägda, och hon skruvade och stämde honom så noga och väl som hon aldrig förr hade gjort. Sedan satte hon igång att spela, och faktiskt att det gick att spela sorgemusiken på fioln, Av den dolda masken tärd, Blomman vissnar lätt på kinden, Och, fast ej till mognad närd, Skakas frukten ner av vinden.

Karl Orsas bokföringen Vårherre, han har jag grubblat mycket över. Huru gick han till väga då han skulle bestämma att en av skulderna våra var betalad, huru räknade han? Allting har sitt pris, och någon ska sätta det priset, för priset hör icke till världsordningen, och huru Karl Orsa bar sig åt vet jag icke, kanske var det bara så att kroppen hans var som ett besman och en måttstock. Dem påstår att i tidernas begynnelse var människans kropp det enda som gick att använda då nånting skulle mätas. Och med det mått varmed I mäten skall det mätas åt eder har du Vårherre sagt, och det ordet var ställt även åt Karl Orsa.

Eva hon var mycket lik mor, dem hade samma ljusblankhår och dem var lika lätta i kroppen och lika lättlevade, det var som om ingenting fick vara omöjligt för dem, bägge var flinka och dem behövde aldrig fundera länge då det var nånting dem skulle göra, som om kroppen och själen deras var en och samma sak.

För mig har det jämt varit som om kroppen aldrig riktigt hade räckt till åt själen.

Om mor och Eva hade varit samålder kunde dem ha varit systrar. Men mor vart fort gammal, både oppi ansiktet och inne i sinnena. Då Karl Orsa bestämde sig för att han skulle hava Eva därför att hon oppå något vis var mer värd än mor, så var det som ett slag för mor och hon kom aldrig över det, att hon int dugde och att hon int kunde bevara Eva mer, det gick nog någon månad och hon rörde icke orgelharmoniet och hon verkade int hava någon glädje av att höra på då Eva spelade.

Och hon är int mer än barnet, sade hon.

Annars sade hon ingenting, hon var så tyst att det nästan kändes oroligt och hon kröp ihop inne i sig själv så att ibland kändes det nästan som om hon var en främmenmänniska.

Om långfredagen kom Karl Orsa, och det syntes att han hade någon särskild sorts ärende, han satte sig dära vedbänken och sade ingenting men ögonen hans for över oss som om han ville se efter om vi skulle tåla att taga mot ärendet hans, och det var icke utan att han verkade en aning oppspelt, mor sade heller ingenting och drickan tog hon aldrig fram nuförtiden.

Och till slut, då han förstod att vi verkeligen hade börjat vänta på att få veta vad det var han kom bärandes med, då sade han det:

Jo, den där Jakob. Dem har funnit honom.

Och där stannade han opp en stund, han ville draga ut oppå ärendet sitt och int förbruka det med ens, mor stod därvid bordet och det var som om hon int brydde sig om att lyssna, men hon stod alldeles rolig.

Dem fann honom i Baggböle. Nervid älven däri en tall.

Och så vart han tyst ett tag igen, alldeles som om han var tvungen att rannsaka minnet sitt för att komma ihåg alltihop.

Han hade hängt sig, sade han till slut. Med en töm.

Och sedan vart det alldeles tyst, vi visste icke vad vi skulle taga oss till, det var som det var. Sara och Rakel dem kröp opp diti fållbänken och satte sig och höll armarna om varann, dem gjorde så ibland, och jag tänkte på Karl Orsa och försökte begripa vad han egenteligen ville.

Till slut sade mor om Jakob:

Och han som var så rädd för allting.

Det var det enda som vart sagt, och vad hon egenteligen menade vet jag icke.

Och sedan gick Karl Orsa, han ville oss ingenting mer än detta den gången, det var som om vi på något vis hade betalat av en liten grut på skulden bara genom att finnas till hands medan han talade om detta som var ärendet hans. Han sade icke att han ville att Eva skulle följa honom diti handeln om skulderna, det var så han brukade göra nuförtiden, oppgörelserna med mor hade han jämt klarat av hemma hos oss, men Eva ville han hava diti lillkammarn innanför handeln.

Tre ting äro mig förunderlige, och ett fjärde vet jag icke: Örnens väg i vädret, ormens väg på hälleberget, skeppens väg mitt i havet och en mans väg till en pigo.

Sommarn sextiåtta fick Ängla trumsjukan förstgången hon fick smaka klövern och vi vart tvungna att slakta henne. Men av Karl Orsa fick vi en kviga på krediten, hon hette Tafat efter en dotter åt konung Salomo, hon var liten och hade bara tre spenar men vart ändå en bra mjölkko, fast det var svårt att mjölka henne, handen grep jämt efter spenan som int fanns.

Och samma sommar byggde bönderna i Risträsk och Heda en ramsåg därvid Stenabäcken, hon hade två blad och en klinga för kantningen, dem hade fått del av nödhjälpen för svagåret och fått penningarna över och för de slantarna byggde dem sågen. Om hösten kom Karl Orsa och sade åt mor att nu kunde det nog finnas nånting för Jani att göra, förtjänsten riktigt, och att han skulle tala vid risträskbönderna, däri ett sågverk fanns det arbete åt alla sorts människor, till och med att han visste att det fanns kvinnorna som arbetade däri sågverken. Och jag sade att nog var jag arbetsför om det bara fanns ett arbete, kvinnarbete behövde det verkeligen icke vara, jag var ju en fullväxt karl och en ramsåg var väl ingen stor märkvärdighet.

Och så vart det så att jag fick arbete som hjälp åt stabbläggarna, jag stod överst oppå staplarna och lade sågevirket tillrätta, jag fick tre kroner i veckan. Men i oktober var sågningen slut och då vart det timmerskogen, under vintern skulle dem avverka virket som behövdes för sågningen nästa sommar, i skogen vart förtjänsten sämre.

Och det var sistvintern som mor var ute oppå någon spelning, hon hade fått något elände i fingrarna, och Vårherre du vet vad det var, dem styvnade och ville inte riktigt göra tjänst som förr, hon satt ofta och höll opp dem framför sig och synade dem, men utanpå syntes ingenting.

Dem lyder icke längre, sade hon. Det är som det icke gick att tala vid dem.

Psalmerna klarade hon fortfarande och dansmusiken om han int gick för fort, men schottis och polkett det var omöjligt, och dansarna hörde ju att det vart fel ibland, för ingenting är viktigare än takten. Så då dem kom från Arnberg just före jul och skulle hava musiken en lördagskväll, så sade dem att dem gott kunde klara sig med Eva och fioln, dem var icke så många och det var ju mycket enklare på något vis och det kunde ju icke vara ett nöje för henne som ändå int var alldeles ung längre att behöva fara hit och dit som en vävspole och spela dansmusiken.

Det finns ingenting jag hellre gör än spela orgelharmoniet, sade mor.

Men ändå, sade dansarna från Arnberg.

Och då begrep mor att det var som det var, musiken hennes var icke längre värd några slantar, han var int ens värd besväret att taga orgelharmoniet oppå en släda bakom en häst, så då sade hon ingenting mer och Eva for ensammen åt Arnberg och spelade.

Hon ville att jag skulle vara med då Eva for på någon spelning. Så att om jag var hemma så gjorde jag det, det var ändå som att uträtta nånting, någon dansare var jag ju icke, dem som försökte lära mig gav fort upp, så då satt jag åtvid Eva och hörde på musiken och hämtade vattnet åt henne då hon vart törstig, och stödde opp ryggen hennes då hon vart trött, och om jag stängde ögonen så gjorde det nästan ingenting att dem dansade och levde om.

Och för sig själv fortsatte mor att spela, helst då hon var ensammen inne så att ingen hörde henne, fingrarna kan nog komma sig igen sade hon, Vårherre kan göra allting som han vill, kanske är det hans mening att fingrarna mina icke ska gå så fort, gudaktigmusiken går aldrig fort.

I april sextinie tog jag penningarna som jag hade tjänat den vintern och gick till Karl Orsa och lade opp dem dita bordet hans däri lillkammarn innerom handeln.

Han såg oppå dem och verkade som fundersam en stund, sedan sade han:

Vad penningar är det där?

Jag ska betala av oppå skulden, sade jag.

Och då tänkte han en stund igen.

Du ska vara rädd om penningarna, sade han. Penningarna ska man icke bara häva ifrån sig utan vidare.

Jag vill att du skriver in dem däri boken, sade jag. Och räknar bort dem ifrån skulden vår.

Det gick jämt sakta för honom att prata och nu gick det ännu saktare än vanligt.

Icket, sade han. Det är icke lönt att öppna någon bok för de där penningarna.

Det är lika mycket som årsarrendet, sade jag.

Arrendet har Eva redan betalat, sade han. Och krediten ska du icke göra dig bekymmer om.

Du ska taga penningarna, sade jag. Och skriva in dem däri boken.

Jag tager dem icke, sade han. Och vad jag skriver däri boken angår icke dig.

Och då tänkte jag att jag divlar icke mer med

honom, jag kan aldrig komma till klarhet om honom, han går samma väg som ormen oppå hälleberget, han är som han är, så jag lät penningarna ligga dära bordet och sade ingenting mer och gick därifrån, och det vart icke för honom heller att säga nånting mer.

Då om dagarna högg jag vinterveden dära liden överom gärdan, en afton då jag kom in sade mor att Karl Orsa hade varit där och gett en näva småpenningarna åt Tilda, och jag fick se penningarna och kände genast igen dem, och jag sade åt mor att hon icke skulle ha tagit emot dem. Men han hade varit så envis, det hade icke gått att lämna dem tillbaks, till allting annat var han en tjurskalle, vad han menade med detta var omöjligt att begripa.

Men att man till och med kan få penningarna oppå krediten, sade mor.

Mor var jämt så orolig för Eva, det var som om hon trodde att Eva var svag oppå något sätt fastän hon var så kvick och arbetsam och aldrig nånsin klagade över nånting, kanske var det för att Eva var förstflickan hennes och för att hon hade all den där musiken inne i sinnena och däri händerna sina, det var som om mor trodde att Eva var ömtåligare än en vanlig människa. Så att hon frågade ideligen om hon hade ont nånstans och om hon var kall och om hon hade fått nog maten och om hon hade sovit som hon skulle om natten, och sedan fingrarna hennes hade börjat styvna så frågade hon Eva flera gånger var dag om hon kände nånting konstigt däri fingrarna sina, och det lät som om hon väntade att som det vart för henne själv så skulle det bli för Eva ock. Och även då hon ingenting sade så syntes det hur hon funderade för sig själv, hon var ofta liksom orolig och frågande däri ögonen då hon såg oppå Eva. Sedan det vart som det vart med Karl Orsa så skulle hon jämt hava reda oppå huru Eva hade det med reningarna sina, att dem kom då dem skulle och att dem såg ut som vanligt, och Eva förstod nog aldrig varför mor oroade sig på det vis som hon gjorde, hon hade int förmågan att vara rädd för nånting ont, oskyldighet skall leda de fromma och den där ostraffeliga lever, lever säkert.

Sommarn sextinie var jag hemma bara under slåttern och vi slog int mer än uti fullt tretti hässjor, annars var jag på sågen därvid Stenabäcken, jag hade nu fyra kroner i veckan och vart kallad stabbläggare, fast mest stod jag oppå staplarna och tog emot sågvirket från stabbläggarna som var större än jag. Förtjänsten bar jag hem till mor och vad hon gjorde med penningarna vet jag int, Karl Orsa godkände ju icke penningarna våra nuförtiden, så vad skulle vi hava dem till? Han hade drivit oss ända därhän att han hade avskaffat penningarna för oss. Vårherre, vad var din mening då du skapade krediten?

Nu var mor trettiåtta, Eva var sjutton, Sara fjorton och Rakel tolv och jag var tjuge. Tilda var fem. I augusti skaffade Karl Orsa pigplatserna åt Sara och Rakel, dem behövde komma hemifrån och få göra rätt för sig sade han, Rakel vart som vemodig för hon hade just börjat lära sig att spela orgelharmoniet. Sara kom åt Aggträsk och Rakel åt Björknäset.

Då om hösten ett tag var Karl Orsa sjuk och han fick för sig att han skulle dö. Det var inne i magan, det satt som en knula bakom naveln, han trodde det var kräfta och en gång drog han till och med opp skjortan för att vi skulle få se var hon satt, men det syntes ju ingenting. Medan han gick på det viset och var döende kom han ofta dittill oss, han hade inga ärenden, om man int ska säga att kräftan och musiken var någon sorts ärenden, han satt dära vedbänken och var som tyst, och han ville att mor skulle spela för honom fast det lät som det lät, Eva fick vara i fred den där tiden utom att han ville att hon skulle spela fioln för honom, Mina levnadstimmar stupa Mot det stilla målet ner.

Och mor sade åt honom att han skulle taga renfanan som blommade just då och torka blommorna och äta dem och även lägga dem i brännvinet, om han sedan såg till att han drack mycket och pissade mycket så skulle det säkert vara bra, hon visste att dem hade gjort så för gammalt och att det var som en underkur, han kunde ock hava blommorna i en påsa och låta dem ligga oppå magan om natten då han sov.

Jag kan int sova om nätterna, sade då Karl Orsa och lät som bedrövlig.

Det kan nog vara både för magan och annat, sade mor.

Och så här sade han:

Det blir kusinbarna mina i Gallejaur som kommer att få taga alltihop efter mig. Dem som ingenting förstå ifråga om handeln.

Och:

Jag ska riva bort skulden din borti boken, Tea. Då jag har dödde då kommer du att vara skuldfri som ett nyföddbarn.

Och han vart ännu mer bibelsprängd än vanligt:

Sörjen icke för edert liv, sade han, vad I skolen äta, eller för eder kropp, vad I skolen kläda eder med. Livet är mer än maten, och kroppen är mer än kläderna.

Mor skulle aldrig ha lärt honom det där om renfanan. För nog var det torkeblommorna som gjorde honom frisk. Jag kan icke tro att du Vårherre gjorde något under vid Karl Orsa.

Fast vem kan förstå honom som är vis och mäktig och försätter bergen förr än de det förnimma och rörer jorden av sitt rum, så att hennes pelare bäva?

Han vart borta ett tag och sedan kom han och sade att nu ville han att Eva skulle följa honom diti handeln, det var mycket som var oklart och ogjort opp, och vad som hänt med knulan bakom naveln hans det fick vi aldrig veta, och mor hon sade att horbockarna dem är de mest seglivade människorna oppå jorden.

Dem fick en nypiga hos Karl Orsa då om hösten, hon hette Johanna, då hon hade nykommit gick jag dit för att få se henne. Hon var liten och tunn och gulbrun i håret, men hon hade stora tissar och ögonen hennes var kvicka och oroliga oppå något vis, hon var från Åmsele.

Och hon var som lättpratad, vi vart fort bekanta, hon kallade mig Johan och det har aldrig någon annan gjort, då hon fick höra att vi hade både orgelharmoniet och fioln sade hon att hon skulle komma och hälsa oppå oss då hon fick tiden, för musiken var det enda som gjorde att hon verkeligen kände sig som en människa, hon hade en morbror i Mårdsele som hade ett orgelharmonium och hon hade spelat på det då hon var mindre.

Vad är en människa, att du aktar henne högt, och bekymrar dig med henne? Du hemsöker henne dagliga, och förföljer henne alltid. Denna Johanna var som en uppenbarelse för mig, om dem icke hade kommit och skickat henne diti jordkällaren för att hämta kålrötterna så kunde jag ha stått kvar där hela dagen och talat vid henne. Och sedan kom hon om söndagarna, hon fick vara ledig då ett tag om eftermiddagen, och hon och Eva vart fort vänner. Spela kunde hon ock, mor underrättade henne om allt som hon int visste sedan förr och efter bara någon månad så lät det som om hon aldrig hade gjort annat än spelat orgelharmoniet. Så att då dem kom från Brinkliden och ville att Eva skulle komma och spela, då sade Eva att hon ville hava Johanna och orgelharmoniet med sig, och bondpojkarna från Brinkliden sade att nog gick det bra bara det icke vart någon extra kostnad, bönderna i de här trakterna har alltid tyckt om musiken. Och sedan vart det på det viset, dem spelade ilag, och Karl Orsa sade att han icke lade sig i vad pigern hans gjorde bara dem icke levde otuktigt.

Och mor hon granskade Eva varenda morgon och kväll för att se om det hade hänt nånting med henne, och jag vet förvisst att hon ideligen talade vid dig Vårherre att hon icke skulle bli oppå det viset, för det var hon säker att det skulle varken du eller hon kunna tåla, och hon försökte tala vid Karl Orsa men han hade inget förbarmande, då det gäller handeln, sade han, då kan man icke vara eftergiven eller ömsint. Men Eva hon verkade säga åt sig själv att det var som det var och att om din ovän är hungrig, så giv honom mat, om han är törstig, så giv honom att dricka, ty om du gör detta skall du samla glödande kol på hans huvud. Det var som om hon var född till just detta: att spela fioln och taga hand om skulderna våra.

Och till slut vart mor som så säker om att hon var ofruktsam.

Annars pratade vi aldrig om detta som var oundvikligt, för varför ska man prata och divla om det som man icke kan undgå?

Jag ska draga alltihop alldeles som det var.

Efter nyåret sjutti gick jag åt Baggböle, där fick jag arbete som stabbläggare fastän Lindström som hade hand om brädgårn tyckte att jag var ytterstmån liten. Den nionde mars, om förti martyrers dag, föll jag ner från en stapel, jag föll framstupa och putan som jag hade på vänsteraxeln tog emot värstsmällen, men det gick sönder ett ben framme i bröstet mitt så att jag icke kunde lyfta armen. Jag fick skjutsen med en snallare som var från Lycksele, i Åmsele klev jag av lasset och tog reda på var Johannas hemmet var. Far hennes var oppå arbete i Betsele, men mor hennes var hemma, hon var orimligt fet och satt åtvid spisen och skar sönder torrfisken åt hundarna.

Johanna är mycket hos oss, sade jag. Hon spelar orgelharmoniet.

Hon har jämt varit tokut uti musiken, sade

hon. Men vi vill att hon ska bli en skötsam och ordnings människa.

Orgelharmoniet har man mest för att spela psalmerna, sade jag.

Det vet man ju huru det är med musiken, sade hon. Må så vara dem som sjunger en psalm ibland. Men dem som spelar.

Mor min har spelat i hela sitt liv, sade jag.

Jag känner henne int, sade Johannas mor. Så jag vet ju ingenting.

Det finns många som har musiken som någon sorts glädjekälla, sade jag. Mor hon har jämt tröstat sig med musiken.

Men huru har det gått för henne? sade Johannas mor. Huru har hon rett sig här i världen?

Då sade jag ingenting mer, vi kunde ju ha divlat mått länge som helst om musiken, hundarna slogs om torrfisken, hon frågade ingenting om Johanna och hon frågade icke ens vem jag var eller var jag kom ifrån, och att vänsterarmen min hängde rätt ner som ett klocklod det såg hon icke, och hungrig var jag, men icke att hon tog fram såpass som en brödkant. Så om ett tag gick jag utan att vi hade blivit närmare bekanta, hundarna följde mig diti dörren och skällde, det var gråhundar för Johannas far brukade jaga älgen, i Ajaur låg jag över hos ett bondfolk och där fick jag kornmjölsgröten.

Det där benet framme i bröstet vax int ihop förrän framåt sommarn, jag gick där hela vårn och kunde ingenting göra, första tiden icke ens jaga, det vart mest att sitta och prata vid mor och så gå diti handeln då och då, Johanna fick mycket hjälpa till där för Karl Orsa tog hela tiden hem mer och mer av allting, så att en av pigerna fick jämt vara däri handeln.

Du är mycket häri handeln, sade Karl Orsa åt mig en gång. Man ska icke överanstränga krediten.

Jag handlar ingenting, sade jag. Jag ser mig bara för.

Det kan ock bli kostsamt, sade han. Att se sig för.

Vill du köra ut kunderna dina? sade jag.

Du ska int vara så eldfängd, sade han då, för han märkte att jag tog åt mig. Du ska lära dig tåla att man driver nagrut med dig, Jani.

Och så tog han fram en halvsockertopp och sade att jag skulle taga hem honom åt Tilda. Vårherre, du som rannsakar hjärtan och vet vad andens sinne är, förstod du dig nånsin oppå Karl Orsa?

Medan jag gick där och var oduglig däri den där armen, vårn sjutti, då sade Johanna en söndagskväll åt mig att dem hade flyttat henne diti lillkammarn bakom köket och att hon låg ensammen där om nätterna. Så att sedan stod jag ute på gården bakom storrönnen och väntade tills jag såg att dem hade blåst ut sistljuset däri Karl Orsas, och jag behövde int vänta länge för dem gick alltid i säng tidigt för att spara talgen och stearinet, och sedan gick jag in till Johanna, hon hade redan klätt av sig och gått i säng, jag minns att hon skrattade åt mig då jag sade att det var sämst med den där armen som gjorde att jag icke var den karl jag annars brukade vara.

Hon var förstkvinnan jag låg åtvid. Och endana.

Mor hon förstod genast huru det var mellan mig och Johanna. Och hon försökte undervisa mig om huru jag skulle bära mig åt för att det skulle gå goda så att jag int skulle göra Johanna oppå det viset, att jag skulle vara försiktig som då man snickrar grepen oppå en kopp, fast då var det nog redan försent.

Och Eva var icke ofruktsam. Just före påsk var mor alldeles säker, hon kände ju igen alla tecknen så hon kunde aldrig taga fel, och då vart hon så förtvivlad att hon steg icke opp på två dagar. Men tredjedagen, då Eva kom in borti fuset och hade mjölkat Tafat, då steg hon opp och klädde oppå sig och tog svartschalen kringom håret och gick till Karl Orsa. Han sade att dem kunde gå in i lillkammarn om dem skulle resonera.

Nu är det som det är, sade mor. Med Eva.

Fast det verkade han icke förstå.

Hon var då som livat och rask sist jag såg henne, sade han.

Hon är nog i tredjemånaden, sade mor. Du hade hit henne sistlördagen före fastan. Då vart det.

Jag pratade bara vid henne, sade Karl Orsa. Vi talade om skulderna dina, Tea. Och jag gav henne en tygbit uti ett förklä.

Jag kan draga dig inför tinget, Karl Orsa, sade mor.

Det ska du icke göra, sade han. Med skulderna dina. Och jag kan svära mig fri. Men från skulderna kan du aldrig svära dig fri. Och vem skulle sedan hålla livet uti er?

Jani är snart frisk, sade mor. Armen hans har nästan vuxit fast igen.

Han kan hava nog med sitt, sade Karl Orsa. Och omän han har två armar så är han ju icke riktigt någon Simson.

En far ska taga hand om barna sina, sade mor. Det är en skyldighet inför Vårherre.

Och vem skulle tro dig, Tea? sade Karl Orsa. Du som själv har fött sex oäktbarnen. Och Eva som far och spelar oppå danserna?

Om du vore lika noga med piggen din som med allting annat, då hade detta aldrig hänt, sade mor.

Jag är skuldfri, sade han. Jag sköter handeln som noga, så att jag aldrig ska hava någon skuld.

Eva är systern din, sade mor. Och det är skrivet att du ska icket blotta din faders dotters blygd eller din moders dotters blygd.

Jag har talat vid prästen, sade Karl Orsa. Jag är icke släkt vid Eva på något vis.

Du skulle int ha frågat prästen, sade mor. Du skulle ha frågat Ol Karlsa, farn din, medan han levde.

Han satte ifrån sig allt åt mig, sade Karl Orsa. Och han sade icke ett ord om något barn.

Evas barnet kommer att hava sin egen morbror till far, sade mor. Och han blir syskon åt mostrarna sina. Och Eva blir både mor och faster åt honom. Och han kommer att vara kusin åt sig själv.

Det kommer int att vara en pojk, sade Karl Orsa. Oäktbarnen är nästan aldrig pojkar.

Du kommer att vara både morbror och far åt henne, sade mor. Och du vet huru det är med inaveln. Huru har du tänkt dig detta?

Och nu tänkte han verkeligen efter, det var som om han ändå omsider tog åt sig någon liten grut av det som mor hade sagt.

Det står skrivet, sade han till slut, att om någon vill gå till rätta med dig och taga din livklädnad ifrån dig, så ska du låta honom få manteln med. Så jag ska stryka ut däri boken, Tea. Jag ska skriva att fioln är till fullo betalad. Och kvigan. Icke för att jag är skyldig nånting, utan för Vårherres kärleks skull.

Och ingenting mer? sade mor.

Då har jag sträckt mig mycket längre än vad som egenteligen är en klok handel, sade han.

Huru ska du kunna stå till svars för detta? sade mor.

Om man bara har ordning däri böckerna sina, sade Karl Orsa, då behöver man icke vara orolig oppå räkenskapens dag.

Och sedan vart dem tysta bägge två, det var som om det var svårt att hitta opp nånting mer att säga. Men till slut sade Karl Orsa:

Jani, pojken din, han har gjort en av pigerna mina oppå det viset. Du har som dålig ordning oppå barna dina, Tea.

Och mor hon sade ingenting.

Han ser icke ut för att vara en horkarl, sade Karl Orsa. Men ändå.

Och vad skulle mor ha kunnat säga?

Jag vill icke hava det så att pigerna mina får oäktingarna, fortsatte han. Det är icke bra för handeln. Folk pratar alldeles kuseligt.

Så att folkpratet är liksom enda rättesnöret ditt? sade mor.

Men jag har tänkt oppå det, sade han. Dem kan behöva hjälpen. Och jag är icke den som är den.

Vad gör man? var det enda mor kom oppå att säga. Vad gör man?

Om du skickar hit Jani så ska jag tala vid honom, sade Karl Orsa. Vi ska ordna om att allting går rätt och riktigt till. Som tillbörligt är.

Och mor hon hade givit opp alldeles. Till vem skole vi gå?

Så hon gick bara baklänges ut borti kammarn och ut genom handeln, hon hade tagit av sig svartschalen för hon brydde sig icke mer om att det syntes att håret hennes var grått, och Karl Orsa han följde efter henne. Då dem kom diti dörren kom hon änteligen till sig och sade:

Du är onaturlig. Du är som ormens väg oppå hälleberget.

Jag vill icke att huset mitt ska vara ett otuktsnäste, sade Karl Orsa. Bara detta.

Så att sedan om kvällen gick jag till Karl Orsa och han talade om för mig och Johanna huru alltihop skulle ordnas opp, vi skulle få skjutsen med ett kornmjölslass åt Norsjö och taga ut lysningen och sedan skulle vi gifta oss däri prästgården då lysningstiden var gången, och jag kunde hava svartkläderna hans som han int mer begagnade och Johanna fick väl hava finklänningen som hon brukade spela orgelharmoniet i oppå danserna, han visste till punkt och pricka huru vi skulle bära oss åt fastän att han själv icke var gift och verkeligen aldrig tänkte bli så tokut att han gifte sig, och ringarna kunde vi få oppå krediten. Och jag var som flat, vi äro på allt sätt trängde, men icke undertryckte, rådville men icke rådlöse, förföljde, men icke övergivne, nederslagne men icke förlorade, och söndrigarmen hängde fortfarande oppå mig som ett klocklod.

Jag lärde opp vänsterarmen genom att gå ute i skogen med bössan. Då det vart bråttom för att det satt en hära eller en ekorn framför mig så glömde armen bort att han var söndrig och gjorde allt nästan som han skulle, det var bössan som botade armen, och jag sköt såpass mycket småvilt att Karl Orsa räknade skinnen vara värda tie kroner.

Johanna fick sluta däri Karl Orsas och hon flyttade hem till oss, Rakels och Saras sängen fanns ju kvar och en till i maten märktes icke, vi hade krediten, och Eva och Johanna sade att barna som dem gick och bar skulle komma att vara som syskonen. Och dem klämde varann oppå magarna och kände huru fostren sparkade dem ini handflaterna.

Eva vart orimligt tjock och hon åt som två fullväxta karlar, men Johanna hon vart bara en liten aning rundare, som om det var hullet och ingenting annat.

Då vi var klara med höet och jag hade huggit vinterveden fick jag arbete däri sågen vid Stenabäcken. Det rack till i oktober.

Den tjusjunde oktober bar det till för Johanna, mor hjälpte henne och allting gick fort och kvickt som om hon allaredan hade fått många barna, det var en flicka och Johanna ville att hon skulle få heta Sabina efter dagen då hon föddes. Karl Orsa gav henne en porslinstallrik som det stod Sophia oppå, hon var kronprinsessa.

Men för Eva vart det värre.

Vårherre, ingen har en sådan ordning däri böckerna som du, aldrig att nånting stryks ut. Nåden, om han finns, håller du som i lönnom och för dig själv, jag förstår honom icke. Det är skrivet att Gud står emot de högfärdiga, men de ödmjuka giver han nåd. Skulle Eva ha varit ännu mer ödmjuk än hon var, kanske att det var musiken hennes som icke var nog ödmjuk? Då hon vart liggande ville hon hava fioln oppå magan sin, stråken vart det ju int för henne att begagna, men hon låg och knäppte med fingrarna på honom så att det ändå hördes melodierna som hon tänkte. För tidens korta kval och fröjd Jag är ej ämnad vorden, Ej blott en mask till jorden böjd Och genast gömd i jorden. Och Flickan gick på ängen och räfsade hö, Gossen han sade För dig vill jag dö.

Då hon fick värkarna tog jag Tilda och gick diti fuset. Jag hade en kolbit och skrev bokstäverna dära stockarna för att hon skulle lära sig, hon var sex år och läraktig var hon. Då vi hade skrivit alla bokstäverna och alla namnen våra och jag icke visste vad jag skulle hitta opp mer, då kom mor och sade att det var icke som det skulle med Eva, det vart icke för henne, jag skulle genast hämta Eriks Hanna, som var den som brukade anlitas vid födslar.

Och det gjorde jag, Tilda vart ensammen kvar åtvid Tafat däri fuset, Hanna sade att hon hade känt oppå sig att någon skulle komma att behöva henne, så sade hon åt alla som kom, hon satt därvid fönstret och gjorde ingenting.

Eva låg däri sängen då vi kom, hon rördes icke, och hon märkte oss int, hon var ofantligt stor, det var förstgången jag såg en kvinna som höll oppå att föda. Johanna satt dära vedbänken och gav bröstet åt Sabina, jag minns det så väl.

Och Eriks Hanna gick fram till henne och kramade magan hennes och lade kinden emot och försökte höra nånting, och hon brydde sig int om att jag var kvar. Och hon öppnade springan oppå henne som om hon skulle kunna se in i själva kroppen, och gång oppå gång kramade hon och klappade utanpå magan och lade kinden emot. Så till slut sade hon:

Det är icke livet uti det barnet. Ett dödfoster är det. Och stort som två nyföddbarn.

Det syntes ingenting i ansiktet oppå mor, det syntes nästan aldrig nånting nuförtiden, dem stod alldeles roliga och såg oppå Eva, mor och Eriks Hanna. Men till slut sade mor:

Är du säker att där icke är livet?

Det var det första hon tänkte på: livet.

Det är dött som en sten.

Och sedan sade mor om Eva:

Kommer hon att kunna föda fram det?

Icke utan hjälpen, sade Eriks Hanna. Om ens då.

Och hon sade att hon ville hava såpan eller fårfeten åt händerna sina så att hon int skulle plåga Eva mer än nödvändigt var. Då gick jag ut i fuset till Tilda, Tafat hade lagt sig och Tilda låg mot buken hennes och sov, jag satte mig åtvid henne och jag tror att jag hörde Eva ända dit. Då mor kom hade jag ock somnat av.

Nu är det över, sade hon. Nu kan ni komma.

Eva sov. Hon hade fallit ihop och var tunnare och vitaktigare än nånsin förr, medan hon gick och bar det där fostret hade vi icke sett huru kuseligt mager hon hade blivit, stor och mager, hon såg ut som om hon aldrig skulle vakna mer. Herre, till vem skole vi gå.

Nederst däri sängen låg dödbarnet.

En pojk är det, sade mor.

Han var stor som barnen brukar vara då dem börjar lära sig att gå och han höll igen ögonen som om han sov, han såg icke ut att ha plågats utan han verkade nästan som nöjd, han var så fet att han var blank i skinnet och fingrarna spretade för dem var så feta och kinderna var runda som om han hade nånting stort och gott inne i munnen, en sockertopp. Och Eriks Hanna förklarade för oss vad det var vi såg:

Han har ätit borti henne som ett rovdjur, han har ätit som en som icke har magahovet och sedan har han dödde, han har ätit ihjäl sig, han har ätit och druckit slaget oppå sig. Han har sugit ut livet borti henne.

Och sedan efter ett tag:

Vad människa han kunde ha blivit?

Och till slut:

Vem farn hans kan vara?

Det är en sak mellan Eva och Vårherre, sade mor.

Men det är givet att hon tänkte: han är Karl Orsas pojken, han var som far sin inne i sinnena, det var en välgärning av Vårherre att låta honom dö, han var sådan att han sög livet och blon.

Men jag vet förvisst att hon icke tänkte som jag: Vårherre, varför brydde du dig alls om att skapa honom?

Då Eriks Hanna hade gått hjälptes mor och Johanna åt att lägga in pojken i ett gammlakan, men så att ansiktet ändå var framme, och dem lade honom oppå två golvplank som jag bar in och pallade opp mellan två stolar. Och Eva sov så att det nästan int syntes att hon andades.

Nu ska vi hava hit Karl Orsa, sade mor. Han har rätt att få se barnet sitt.

Det är kvällen, sade jag. Dem har gått i säng däri Karl Orsas.

Då får vi väcka opp honom, sade mor.

Han kan nog vara ganska svår om han icke får vara i fred om natten, sade jag.

Om du int vill gå så går jag själv, sade mor.

Och då gick jag, det var mörkt däri Karl Orsas, men då slog jag oppå dörren med en sten och då kom nypigan, hon som hade kommit efter Johanna, och jag sade åt henne att hon skulle hämta Karl Orsa.

Det törs jag icke, sade hon. Det får du göra själv.

Och då gick jag in och oppför trappan och öppnade dörren hans och sade:

Karl Orsa. Mor har sagt att du ska komma till oss.

Och jag tänkte att nu dräper han mig.

Men han steg bara genast opp, han sade icke ett ord, int ens att han frågade vad det var som mor ville, han drog oppå sig byxorna och blusen och en sticketröja och hundskinnpälsen som hängde åtvid dörren och så kom han, och han hade så bråttom att han höll på att knuffa ner mig däri trappan, och då vi kom ut så halvsprang han oppefter vägen, det hade snöat om kvällen så det var icke alldeles mörkt.

Då vi kom in satt mor och Johanna därvid bordet, Tilda hade dem lagt i säng och Eva sov, hon hade icke rört sig, och fast att det var som skumt så såg han genast dödföddbarnet.

Det är pojken din, sade mor.

Så han levde aldrig? sade Karl Orsa.

Då vattnet hennes gick var han redan död, sade mor.

Och han tog ljuset som stod dära bordet och gick fram till dödpojken och lutade sig fram och lyste honom i ansiktet, och där stod han branog länge och sade ingenting, och mor påstod efteråt att han vart blöt däri ögonen och vart tvungen att torka av ansiktet med baksidan av handen.

Till slut sade han:

Och stor och grann var han.

Han var omättlig, han åt ihjäl sig i moderlivet, sade mor.

Men en präktig pojk, sade Karl Orsa.

Han var onaturlig, sade mor. Han höll nästan på att suga livet ur Eva genom navelsträngen.

Och då var det som om Karl Orsa änteligen kom ihåg henne.

Hon är väl alldeles förbi efter detta, sade han.

Hon sover, sade mor. Hon sover som om hon

aldrig hade tänkt om vakna mer.

Men hon har ju livsmodet sitt, sade han.

Och han ställde tillbaka ljuset dita bordet och vart stående och verkade som rådlös, och mor hon satt och anvarade fingrarna sina, dem var alldeles styva nu och det hade kommit småknölar oppå dem och hon hade nästan jämt värken. Till slut sade hon:

Och vad vill du att vi ska göra vid honom?

Och då sade jag, för jag ville att detta skulle taga slut:

Dödföddbarnen brukar man väl bara gräva ner. Dem behöver ju ingen jordfästning.

Men han ser icke ut som ett dödföddbarn, sade mor. Han ser ut som en fullgången människa.

Jag kan taga honom, sade Karl Orsa. Om jag kan göra det lilla för dig, Tea.

Du gör som du vill, sade mor. Det är sagt däri skrifta att Vårherre ska omvända fädernas hjärtan till barnen. Så tag du barnet ditt, Karl Orsa. Om någon har rätt åt honom så är det du.

Och då tog Karl Orsa pojken oppå armarna, han bar honom som om han hade varit ett vanligt lillbarn, och Johanna steg opp och öppnade dörren åt honom så att han tog sig ut, och vad han sedan gjorde vid honom vet jag icke, vi frågade aldrig, ett dödföddbarn är som en främmenmänniska, icke ens att Tilda frågade efter honom då det vart morgon.

Eva vaknade int om morgonen, och då Johanna lyfte fällen så såg vi att det var fullt av blon i sängen.

Då tog jag genast och hämtade Eriks Hanna igen.

Jag har känt oppå mig att någon skulle komma att behöva mig, sade hon.

Och då hon hade undersökt Eva och tittat oppå allt som fanns att se, så sade hon att det var som det var.

Dödfostret var för stort, sade hon. Han har slitit sönder henne invärtes. Han har rivit av blodådrorna inne i kveden. Hon har snart ingen blo kvar.

Så att hon kommer int att gå igenom? sade mor.

Det skulle i så fall vara att Vårherre tar och gör ett under vid henne, sade Eriks Hanna.

Vårherre, du var åtvid oss hela tiden de där dagarna, varför såg du bara oppå, varför utsträckte du icke din allmakts hand och hjälpte Eva? Herrans ögon skåda i all rum, både onda och goda, men varför är du nöjd vid att skåda? Utom de gångerna då du riktigt får omstörta allt?

Så att du vet ingenting? sade mor.

Om du har senapen, sade Eriks Hanna, så kan du stryka honom på magan hennes. Men annars så.

Så att ingenting annat? sade mor.

Nej. Ingenting annat.

Så jag sprang diti handeln och skaffade senapen, och Johanna kletade ut honom över magan hennes, och mor hon satt därvid bordet och höll igen ögonen och rördes icke, det var som om hon var sanslös fast att hon satt rätt opp och ner, då vi talade vid henne hörde hon oss icke, och Eva hon fortsatte att andas fast det gick sakta ända till eftermiddagen, men då var det slut.

Hon vart arton år.

Då Johanna såg att hon var död var det som om hon vart alldeles förbi, hon tog Sabina och kröp ihop med henne däri sängen vår och vände sig mot väggen och låg alldeles rolig, men mor hon vaknade liksom opp, hon öppnade ögonen och såg oppå mig och sade:

Nu ska Karl Orsa hämtas hit.

Är det verkeligen tvunget? sade jag.

Det är tvunget, sade hon.

Så då tog jag och gick och hämtade honom.

Jag sade icke ett ord huru det var med Eva, men det var som om han förstod det.

Han gick rätt fram till sängen hennes, han sade ingenting, och där ställde han sig oppå knä och lade ner huvudet så att ansiktet låg mot långhåret hennes, och mått länge han låg oppå det viset vet jag icke, och då och då skalv han till i hela kroppen som om det var någon som tog tag i honom och lyfte opp honom och skakade honom, och mor satt alldeles rolig och såg oppå honom och sade ingenting.

Då han änteligen steg opp var han röd och liksom oppsválld oppi ansiktet, och han såg int på någon av oss.

Däri dörren vände han sig om och sade:

Men jag ska taga hand om alltihop.

Det var det enda som vart sagt. Och huru obegripligt det än kan höras, så var det som en tröst och en hjälp att höra detta: att Karl Orsa skulle taga hand om alltihop.

Och han tog verkeligen hand om alltihop, han skaffade kistan och han tog Eva åt Norsjö, mor och jag kom bakom oppå ett havrelass, Johanna stannade hemma åtvid Tilda och Sabina, det var tre hästar som följdes då Eva skulle begravas, sistlasset var en griskropp och en bunt fårskinnen som Karl Orsa skulle giva åt prästen och kyrkan.

Prästen talade om att du Vårherre förbarmar dig över vilken du vill, och vilken du vill förhärdar du.

Då vi for hem från Norsjö ville Karl Orsa att mor skulle skjutsa åtvid honom, det kändes som om han hörde till sorgehuset sade han, och han talade om för henne att nu hade han strukit över alla skulderna våra däri boken, han hade efterskänkt alltihop, vi var skuldfria som nyföddbarnen.

Men det vart icke för mor att säga tack åt

honom.

Mor hon tog aldrig opp sig sedan Eva var död. Hon vart styvare och styvare däri fingrarna och det vart knölarna utani fotlederna och knäna, men det var som om hon int brydde sig om det, Johanna skötte om det som skulle göras och Tilda var bra att hjälpa till, så att mor satt mest därvid bordet och läste däri Bibeln och då hon trodde hon var ensammen pratade hon för sig själv.

Om nyåret sjuttiett kom Karl Orsa och sade att han icke skulle taga ut arrendet för det året, vi skulle få ett friår, han hade tänkt mycket oppå oss, och almanackan fick vi ändå. Då han skulle till att gå sade han:

Nu är det väl ingen som spelar fioln?

Nej, sade jag. Men jag har tänkt om sätta opp honom dära väggen. För han vore ju som en prydnad.

Men då sade Karl Orsa att han nog hade en köpare som var från Risliden, och då han gick så tog han fioln under armen, och Tilda hon började grina för hon hade liksom trott att hon skulle ärva fioln, fast hon hade int anlagen för musiken.

I mars gick jag åt Baggböle och där fick jag genast arbete, Lindström mindes mig mycket väl, om sommarn var jag bara hem för slåttern, då jag slutade i november hade jag penningarna uti arrendet och mer än det. Just före jul, den sjuttonde december, fick Johanna en flicka, vi döpte henne till Eva efter fastern hennes.

Efter trettonhelgen steg mor icke opp.

Vad skulle jag opp för? sade hon. Det är enklare att jag ligger, man ska int nöta kläderna i onödan.

Då var hon förti, jag var tjutvå, Tilda var sju, Sabina var ett år och hade just lärt sig gå och Eva var nyfödd.

Och mor tålde int musiken längre. Då Johanna satte sig och spelade så sade hon:

Jag får ont bakom ögonen av musiken. Du kan spela då jag sover.

Så om kvällarna då hon hade somnat, då spelade Johanna orgelharmoniet, fast ibland vaknade mor och sade att hon drömde så obehagligt och att det nog var musiken, men vad det var hon hade drömt det talade hon aldrig om.

Johanna var duktig, hon skötte fuset och småbarna och mor och aldrig att hon klagade. Du vet att hon aldrig klagade. Hon brukade sjunga för sig själv, det var som en vana och hon visste icke om att hon sjöng. De rosor och de blader de göra mig så glader Helst när som jag gångar mig i rosende lund.

En gång försökte jag tala vid mor, om det kunde vara någon sjukdom hon hade. Men hon sade bara att det var som det var, någon sorts svaghet var det väl men ingenting som angick någon annan och särskilt ont hade hon icke, ingenting sker utom Vårherres vilja.

Men än i denna dag vet jag icke vem det var som ville att hon skulle dö, om det var hon själv eller du Vårherre.

Hon levde till i början av sommarn. Men andra söndagen i juni då vi vaknade då var hon död. Och jag minns att vi satte oss därvid bordet då Johanna kom in borti fuset och jag slog opp och läste predikotexten för den dagen. Var och en gren i mig, som icke bär frukt, den tager han bort, och var och en som bär frukt, den rensar han, att den må bära mera frukt. Redan nu ären I rene för det ords skull, som jag har talat till eder.

Om hösten, dagen innan jag skulle fara åt Baggböle, då kom Karl Orsa och sade att han hade tänkt att taga hand om Tilda.

Hon är ju som föräldralös nu, sade han. Och några egna barn kommer jag aldrig att skaffa mig.

Får jag vara däri handeln då? sade Tilda.

Sockertopparna, tänkte hon.

Hon skulle vara som ett fosterbarn, sade Karl Orsa. Icke bara inhyses.

Jag tycker att hon är som en lillsyster, sade Johanna.

Fast det sade hon nog mest för att hon kändes tvungen, Tilda var icke lik varken mor eller Eva eller mig, hon var mest lik åt Karl Orsa, hon var uträknande och småslug och hon hade mörkt hår och var brunögd.

Jag vet icke, sade jag åt Karl Orsa.

Men det är ingen handel, sade han. Jag ska icke betala för att få taga henne.

Det är icke det, sade jag. Jag är nog karl att försörja familjen min. Det ska du veta.

Jag ville bara giva er förslaget, sade Karl Orsa. Som ett anbud. Endast.

Hon får väl göra som hon själv vill, sade jag.

Man ska int ordna för mycket med barna. Man rår ju icke om livet deras.

Jag var som säker att hon skulle vilja vara hos Johanna, dem följdes nästan jämt och Johanna hade ett obegripligt fördrag med henne.

Jag vill vara däri handeln åtvid Karl Orsa, sade hon.

Och det hjälpte icke att vi försökte tala vid henne, hon såg bara rätt fram och svarade oss icke, och till och med att hon gick fram dittill Karl Orsa där han stod åtvid vedbänken och tog tag i handen hans, och det såg branog besynnerligt ut, han hade nog aldrig förr hållit ett lillbarn däri handen.

Och så bråttom vart det att hon icke skulle taga nånting med sig, icke kläderna och int ens dockan som jag hade gjort kroppen och skallen oppå och som Johanna hade sytt kläderna åt, hon var som en gammal människa som änteligen har bestämt sig för att börja ett nytt liv, hos oss fanns det ingenting som hon ville draga med sig, hon ville gå genast och Karl Orsa sade att hon skulle få lillkammarn bakerom köket alldeles för sig själv.

Karl Orsas Tilda. Allting ska hava ett namn.

Så att då jag for åt Baggböle vart det bara Johanna och Sabina och Eva kvar, och mest tomt var det efter mor.

Mor var icke en vanlig människa.

Hon liksom knöt ihop livet sitt med liven våra så att hon fanns inne i oss jämt, omän hon icke var i närheten så var det som om hon var åtvid oss ändå, och hon är icke alldeles utplånad än.

Hon höll reda oppå tiden som ingen annan, int så att hon jämt visste tiden på dagen eller vad dag det var, men oppå det viset att hon var noga att alltid veta vad som allaredan hade hänt och för alltid var förbi och vad som var just nu och vad som än icke hade hänt, det som var framöver och som man därför icke skulle göra sig bekymren om, hon pratade aldrig om far min för han hörde till det förgångna.

Utom oppå slutet, för då gav hon opp all tid.

Då sade hon att hon gärna skulle ha velat komma ihåg huru han hade sett ut, men det vart icke för henne.

Hon var så ljus inne i sinnena. Huru mycket

skulder som än lades oppå henne så var hon skuldfri ändå. Invärtes gick det icke att komma åt henne, intet går utanefter in i människan det henne besmitta kan, men det som går utav människan, det är det som besmittar människan. Då jag var liten och maten icke rack till, då spelade hon orgelharmoniet för oss, Herre! du för oss i nåd Öppnat haver ditt förråd, Dryck och spis åt oss du räckt, Oss du styrkt och vederkveckt.

Hon var stark, hon var starkare än Karl Orsa, han hade egenteligen aldrig någon makt över henne.

Karl Orsas Tilda, som barn var hon en halvsyster åt mig, men sedan hon flyttade ifrån oss så var vi icke släkt mer. Sjuttitre om hösten vart Karl Orsa femti år, Tilda var nie, då bestämde hon att dem skulle hava ett storkalas för Karl Orsa, störstkunderna och släkten från Granliden och Kvavisberg och Gallejaur, och hon skickade drängarna dittill oss för att dem skulle hämta Johanna och orgelharmoniet.

Själv hade hon en nyklänning från Skellet.

Och hon kände icke Johanna, hon hade skrivit oppå en papperslapp vad låtar som skulle spelas och hon sade till om att Johanna skulle hava dricka och ett hönsbröst medan prästen höll talet sitt, och då kalaset var slut såg hon till att det vart betalat tre kroner för musiken, men åt Johanna sade hon själv int ett ord, hon kände henne icke.

Ty vilken människa vet vad i människan är?

I två år var jag på sågen i Baggböle, jag var bara hem för slåttern och ett tag mitt i vintern då dem int sågade var dag, och förtjänsten var såpass att jag kunde betala arrendet och det som Johanna hade tagit oppå krediten medan jag var borta.

Tre tvåtumsplank ska en stabbläggare kunna taga oppå axeln. Den tjugonde november sjuttifyra, just före middagen, tog jag sex tvåtumsplank oppå axeln, före mig hade en karl från Bratten som hette Alexi tagit fem så att det var hans skuld alltihop. Halvvägs opp vart jag tvungen att flytta om vänsterhanden och då halkade jag med högerfoten och det small till baki ryggen min, dem som kom bakerom mig måste ha hört smällen fastän dem påstår att dem ingenting hörde, det var nånting som gick sönder i ryggen just nederom skulderbladen och jag vart tvungen att släppa alla sex tvåtumsplanken.

Det var som det var.

Och armarna gick icke att lyfta opp, dem vart hängande.

Och jag sade det åt den där Alexi från Bratten:

Det är din skuld. Du rådde för att jag vart

tvungen att slita sönder ryggen.

Så att nyåret sjuttifem hade vi inga penningar.

Och Karl Orsa han visste om det.

Jag vill göra opp med Johanna, sade han.

Icke, sade jag. Icke så länge jag lever.

Du kan spela en slatt för mig, Johanna, sade han.

Och Johanna hon hade ju icke något val, jag gick ut och stod döra bron medan hon spelade, för jag fick liksom ont i bröstet av musiken, det var så kallt att jag såg huru händerna mina vart vita medan jag stod där, och jag gick icke in förrän jag hörde att orgelharmoniet vart tyst. Och det var som om han just den dagen int behövde mer än musiken, han hade redan hundskinnpälsen oppå sig.

Vårherre har sagt att man ska vara långmodig, sade han då han gick. Fast rättvisan ska ju hava sin gång.

Och då han kom igen nästa dag frågade han icke efter musiken.

Lagsökning, sade han. Om vi icke kan göra opp i godo. För det är dem som göra efter lagen som ska varda rättfärdige hållne. Så att.

Och tredjegången sade han bara att nästa dag skulle han fara åt Skellet.

Om det fanns nånting jag kunde göra, sade han. Men lagen är lagen. Och då ni icke vill göra opp i godo.

Då var jag så rådlös som en människa kan vara, om aftonen gick jag diti fuset. Och där satt jag och talade vid dig Vårherre.

Om jag icke får komma till dig med frågorna mina så är jag dödens, sade jag.

Och så frågade jag om alltihop.

Då jag kom in var Johanna icke där, jag förstod nog genast huru det var, det fanns ju ingenting annat hon kunde göra, och jag sade åt mig själv att då människan icke har något val då kan hon göra meste vad som helst, och det var som en tröst.

Då hon kom sade hon ingenting, vi talade icke om det den kvällen, det var som det var, jag följde henne då hon gick och mjölkade Tafat. Herre, till vem skole vi gå?

Då det vart helgen igen då kom han med almanackan.

Och krediten, sade han. Om det behövs så har du krediten, Jani. Utifall att nånting skulle fattas.

För honom var det en naturlig sak, men för mig var det ett hån, jag förstod icke handeln. Det kändes som om han hade tagit ett vedträ och slagit det i ansiktet mitt, en liten stund försvann synen ur ögonen för mig.

Men sedan steg jag opp och gick fram till honom, och han steg undan som om han trodde att jag skulle göra honom nånting, och jag sade det rätt ut åt honom:

Någon skulle dräpa dig. Om icke detta däri ryggen hade hänt mig. Om armarna mina hade varit brukbara. Då hade jag dräpt dig.

Och han såg oppå mig, han sade ingenting, det var ju ingenting att divla om, han såg att jag menade allvaret. Så han tog pälsen sin och så gick han, till och med att han glömde av att lägga ifrån sig almanackan.

Och sedan var det länge han icke tordes komma till oss.

I juni sjuttifyra fick Johanna en pojk. Han fick heta Alexis efter morfar min.

Ryggen min läktes. Men det var som om skallen hade fastnat, halsen gick icke att vrida. Och armarna vart bättre så att jag kunde lyfta opp händerna dittill axlarna, jag kunde skära träsakerna med kniven och skorna kunde jag laga, och då tjädern spelade kunde jag gå med bössan igen. Men stabbläggare var jag icke mer, varken i Baggböle eller oppå någon annan såg kunde dem hava bruk för mig. Så att förtjänsten var det slut med.

Men krediten. Krediten hade vi.

Ända ifrån början och till slutet.

Det var som det var.

Då Job hade det som värst, då han satt däri askhögen och hade rivit sönder kläderna sina, då frågade han:

Vad är min kraft att jag skulle kunna härda ut? Och vad är min ändalykt att min själ skulle vara tålig? Min kraft är dock icke av sten, ej är heller mitt kött av koppar. Haver jag dock ingenstädes hjälp och ingen ting vill gå fram med mig.

Till slut sade jag åt Johanna att det fanns ingen nåd, vi skulle pröva att hjälpa oss själva, för vad hade vi att förlora, även detta är man skyldig: att hjälpa sig själv, vad fanns det ytterligare som han kunde taga ifrån oss?

Vårherre, vad är egenteligen den yttersta skärven?

Och hon talade om för mig huru allting brukade tillgå då han tog ut sin rätt, och det var som om hon skar mig invärtes med kniven, men jag visste att jag var tvungen att tåla det, han ville jämt hava det på sitt särskilda vis, han var onaturlig i det fallet ock, och det var icke enkelt för Johanna att berätta alltihop.

Han hade sagt att han skulle komma om Marie Bebådelsedag. Om natten sov jag icke.

Då vi hörde stegen hans gick jag in diti skafferiet och ställde mig bakom dörren, mellan gångjärnen såg jag alltihop. Johanna satte sig därvid orgelharmoniet och jag såg att hon var vit oppi ansiktet som om hon icke hade någon blo mer.

Men Karl Orsa ville icke hava musiken.

Sover småbarna? sade han. Han såg ut alldeles som vanligt, han såg ut som då han stod bakom disken däri handeln.

Och Johanna hon sade som vi hade kommit sams om:

Dem sover. Dem sover och Jani har tagit bössan och gått diti Granberget.

Jag hade kniven däri handen, och jag tänkte att du skulle veta det, Karl Orsa, att jag står och ser oppå dig och att däri handen.

Åtta kroner, sade han åt Johanna. Åtta kroner däri boka.

Och:

Ingen människa kan dragas med skulderna i längden.

Och:

Du är som så grann idag. Du växer till dig för var dag som går.

Sedan gick han och lade sig oppå sängen, och jag tänkte att Johanna såg ut som ett offerlamm, och jag såg oppå täljkniven, det var morfars. Men han hade också varit Jakobs kniven. Och så öppnade han byxlinningen och gjorde sig klar, och han såg ut alldeles som vanligt, han såg ut som då han visade fram en tygbit eller ett hammarskaft däri handeln, och Johanna klev opp och satte sig oppå honom.

Och jag väntade bara ett litet tag, just såpass att blon som skymde ögonen för mig fick rinna undan, och så slog jag opp dörren och sprang dit, och Johanna hon hoppade undan alldeles som vi hade kommit sams om, och så skar jag fort och hårt som då man skär av halsen oppå hönsen, och Karl Orsa fick aldrig tid att förstå vad det var som hände.

Det vart bara yttersta halvtummen av skallen på piggen hans som jag fick ini handen, han sjönk ihop som en snöboll mellan fingrarna mina.

Jag hade tänkt ut att jag skulle säga åt honom att hädanefter. Men det vart icke för mig.

Han satte opp sig en aning för att se vad det var jag hade gjort, och Johanna stod åtvid mig, det rann mycket blo och piggen hans fes ihop så att det vart nästan bara skinnet kvar, och ingen av oss sade ett ord. Jag hade icke tänkt längre än dit. Vad som sedan skulle hända var obekant för mig.

Men det hände meste ingenting. Det var icke bara piggen hans som fes ihop, det var som om vi allihop vart slaka och tomma, han kommer att blöda ihjäl, tänkte jag. Aldrig förr hade jag sett en människa blöda så ohyggligt borti en enda kroppsdel.

Till slut kom Johanna till sig, och hon tog förklädet sitt som låg oppå pallen framför orgelharmoniet och vek ihop det och band om Karl Orsa så att blon skulle sluta rinna, och hon var försiktig och mjuk däri händerna som då man lindar om ett lillbarn, men hon sade ingenting.

Och Karl Orsa sade icke ett endaste ord, han låg alldeles rolig och det såg ut som om detta var det han hade väntat sig.

Att det nog var meningen.

Han låg kvar oppå det viset ända tills det var skumt ute.

Då steg han opp och klädde oppå sig, och han var slät och vit oppi ansiktet som en som sover, och sedan gick han.

Och allt som vart sagt då han hade gått, det var att Johanna sade:

Om han far åt Skellet? Om han gör anmälan?

Men det visste jag ju: icket att han skulle göra anmälan. För huru skulle han ha lagt ut allt-ihop?

Den kvällen, huru jag hade det då om kvällen, det vet du Vårherre. Det var som skärselden. En sådan skuld hade jag aldrig förr känt. Och jag tänkte att om jag ändå hade dräpt honom.

Jag vet icke huru Karl Orsa skötte såret sitt. Om han gjorde det själv eller om han hade någon till hjälpen. Kanske att Tilda.

Vi hade icke krediten mer. Tre småbarn och

inga förtjänster och bara en mjölkko och jakten, jag sköt en strören därvid Oxkallkällan. Osäkrare kan man icke leva. Endast du Vårherre vet huru vi klarade oss.

Midsommarhelgen fick Johanna ihop fem kroner oppå spelningen.

Och en söndagsafton i slutet av sommarn, jag satt och skar en kopp åt Alexis, så kom Tilda, Karl Orsas Tilda, och hon hade bara ett endaste ärende och det ärendet sade hon fort, hon steg icke ens inom dörren:

Far har skickat mig, sade hon. Han har sagt att jag ska tala om för er att om det behövs och om ni vill är han icke omöjlig. Ifråga om krediten.

Till slut var det ju enda utvägen. Krediten. Krediten vart räddningen för oss. Fast vi sade det aldrig, att utan krediten så.

Krediten är som krukan som länge går till vatten.

Trettonhelgen sjuttisex kom Karl Orsa, han var alldeles som vanligt, det var som om detta som jag gjorde med kniven aldrig hade varit, han hade tänkt oppå musiken hela julhelgen sade han, han hade en halvsockertopp åt Sabina.

Och Johanna spelade julsångerna för honom.

Och sedan sade han:

Om vi skulle taga och göra opp, Johanna.

Och då var det som om jag såg blon för ögonen igen, om jag hade varit beredd men det var jag icke, han var onaturlig och förunderlig som ormens väg på hälleberget, och jag kramade handen som om jag hade haft kniven.

Men till slut tog jag ändå ihop mig så att jag kunde säga åt honom:

Ryggen min blir bättre för var dag som går. Snart är jag i förtjänsten igen.

Du är icke karl oppå flera år än, Jani, sade han. Så att.

Sabina satt däri fällbänken och hade sockertoppen, Johanna såg oppå henne, hon var alldeles blank oppi ansiktet borti sockret, och så sade Johanna:

Jag tror icke att jag kan förmå mig.

Och då sade jag det som jag var säker skulle vara sistordet:

Du kan icke klara av det mer, Karl Orsa, sade jag. Icke efter den behandlingen som jag gav dig. I det fallet är du som en krympling hädanefter.

Jag har tänkt oppå det, sade Karl Orsa. Och jag tror att det ska gå. Det känns som det icke skulle vara omöjligt.

Det känns nästan som om det nog icke skulle vara omöjligt.

Och sedan visste ingen av oss vad vi skulle säga, det fanns liksom ingen utväg, vi var nakna inför varandra. Och inför dig Vårherre.

Till slut steg ändå Karl Orsa opp och tog oppå sig pälsen och däri dörren sade han:

Men du spelar lika vackert som förr, Johanna.

Det sade han bara för att nånting skulle bli sagt, det var icke för musiken, och Johanna spelade ju ändå aldrig som mor eller Eva.

Då han hade gått sade Johanna:

Det är icke för att han har det begäret. Det är bara för skulderna.

Det är ondskan, sade jag. Rene ondskan.

Och då kom hon ihåg ett bibelord:

Den där illa gör, han ser icke Gud.

Vill du taga honom i försvar? sade jag.

Ingen kan taga honom i försvar, sade hon då. Men han är ju ändå en människa.

Det har jag tänkt mycket oppå sedan, och än idag vet jag icke vad hon menade: Men han är ju ändå en människa.

Jag skulle ha frågat vad det innebar, men det vart icke för mig. Ingen är försvarad med detta att han är en människa. Ändå är det som om det betydde att man icke är skyldig till allt. Som om människan aldrig riktigt kan rå för allting. Som om människan redan ifrån födseln hade betalat en liten grut av sin skuld bara genom detta att taga oppå sig bördan att leva ett mänskligt liv.

Om det var så hon tänkte.

Om det var av nöden att tänka så om någon, så var det om Karl Orsa.

Men Johanna gjorde aldrig mer opp med honom. Sistskulden vi hade däri handeln vart aldrig betalad, och krediten hade vi icke mer.

I mars då han var oppå marknen i Skellet fick Karl Orsa veta att det var brukligt att man betalade panten då man bebodde ett torp, kanske till och med att det stod däri lagen, sönnersti landet gjorde dem alltid så.

Hundrasexti kroner, sade han då han kom. Och han som icke betalar panten sin han ska vräkas. Det är som en laga ordning.

Det är mer penningar än jag har sett i hela mitt liv, sade jag.

Det är en god slant, sade han. Men det är ingenting jag kan göra åt det. Vi leva alla under lagen.

Och han lade till:

Det går icke att leva oppå det viset som du gör, Jani. Utan ordning och reda och bara från dag till dag. I längden går det icke.

Men vad ska du då göra av oss? sade Johanna.

Jag har ansvaret för stället, sade han. Det är det ansvar som är lagt oppå mig.

Och en bibelförklaring kom han ock ihåg: Såsom oordning och förvirring har med sig ofrid, så har ordningen med sig frid.

Och Alexis? sade Johanna. Och Eva och Sabina? Småbarna?

Det är icke barna mina. Tilda är enda barnet mitt. Jag har papperen från rätten. Tilda Markström. Hon är enda barnet.

Barna hava ju ingen skuld, sade Johanna. Vad ska Vårherre säga om en sådan ordning?

Och då tänkte han sig noga för, och så sade han nånting som var alldeles obegripligt:

Det är själva ordningen som är Vårherre.

Och sedan fanns det ju ingenting mer för mig eller Johanna att säga.

Och sistordet han sade det var detta:

Innan midsommar ska panten vara betalad. Om icke så ska ni bort. Och huset.

Vårherre, den yttersta skärven finns icke. Den yttersta skärven det är den som man aldrig kan betala.

Alltihop från början och till slutet.

Och det är det som jag vill fråga dig om Vårherre: hade du bestämt allt detta ifrån begynnelsen? Låg vi allihop inknutna i de levandes pung hos dig? Om så var: vem av oss kunde då hava någon skuld? Och om vi oppå det viset icke hade någon skuld, varför låg du då över oss som om vi vore skyldiga till allt?

Endast detta är det jag vill fråga dig om.

Var det verkeligen sant som han sade Karl Orsa, att det är själva ordningen som är du, Vårherre?

Då Job hade mistat allt som gick att mista, då sade han: Och jag skall sedan med desso mine hud omflådd varda.

Då skulle man änteligen vara skuldfri och ren, men icke förr?

Om midsommardagen vaknade vi tidigt, det var nog fortfarande natten, vi vaknade av att det var ett djävulusiskt oväsen och levan oppå taket, det small och knakade och dånade så att vi trodde att vi skulle få taket över oss, och Johanna ville taga barna och krypa ner i källarn.

Men jag förstod genast vad det var.

Så jag steg opp och klädde oppå mig, och jag sade åt Johanna att bara ligga rolig och icke vara ängslig för detta skulle jag taga hand om, det lät visserligen kuseligt oppå taket men snart skulle det vara tyst åter, och jag tog lodbössan, hon som från början var Jakobs, och kulorna och krutet och tändhattarna.

Och så gick jag ut och det var ingen som såg mig, jag gick runt huset så att jag kom fram på sörsidan, och där kröp jag ner bakom storstenen som småbarna brukade hava som ett hemvist, och det var som om jag tänkte att änteligen!

Det var Karl Orsa och två av drängarna hans, dem hade redan brutit bort takrännan och nederstbräderna, det var morfar som en gång i tiden hade lagt det taket så att det var välgjort, och överst oppå krabbåsen stod Karl Orsa, han hade en storyxa däri handen och det såg ut som om han grubblade om det var murpipan eller själva takåsen han skulle giva sig oppå, han var ju icke van vid grovarbete och att taga uti. Och jag anvarade honom och försökte att begripa mig oppå honom, det var som om jag kände någon sorts behov att förstå tankarna hans. Tankarna rår vi ju icke för, dem växer opp inom oss som ogräset vare sig vi vill det eller icke, tankarna är som en invärtes skrift, dem kan icke skiljas från livet som du har satt oss att leva, varenda människa har du Vårherre fyllt inne i sinnena med en särskild sorts tankar.

Och jag tror att Karl Orsa tänkte att han var tvungen. Han var satt att leva det där livet och förvalta det där pundet. Och det var det han gjorde då han stod där oppå krabbåsen och höll storyxan däri handen, han handlade med det pund som var honom anförtrott, han var utan skuld, det var för honom som för Paulus: han gjorde icke vad han ville, utan det han hatade det gjorde han.

Det var som det var och till vem skole vi gå?

Och så laddade jag bössan och satte dit tändhatten och drog opp hanan och lade opp pipan mot stenen, och icke heller jag hade någon skuld. Jag siktade länge och noga, en god skytt har jag jämt varit, och jag tog tiden oppå mig för jag visste icke om jag skulle hålla åt skallen hans eller bröstkorgen eller buken, ett bukskott kan vara värre än allting annat, så jag for med kolven någon liten grut opp och ner och tänkte att nu, Karl Orsa! Och då, just då, medan jag oppå det viset försökte att bestämma mig, så gjorde du Vårherre detta orimliga som jag har framför mig och under fötterna, änteligen ingrep du, det var bara som om Karl Orsa försvann för mig, jag såg honom inte mer med skjutögat, och då jag drog skallen åt sidan och öppnade bägge ögonen, då såg jag att alltihop, huset och grunden och murpipan och marken som huset stod oppå och akvilejan som Johanna hade satt framför bron, att det alltihop rördes och liksom for iväg framefter slänten där huset var byggt, nederstkanten oppå liden hade sluppit eller lossnat från resten av jorden och föll neröver berget. Och det vart ett dån som om hela berget skulle rasa ihop, och det steg opp ett moln över kanten där huset hade försvunnit så att det gick ingenting se, och jag tänkte att det är icke sant men att Karl Orsa kanske till slut vart för tung för jorden att bära.

Och Johanna! Och småbarna som hade olevat!

Och det for ett bibelord genom skallen min: Och han som satt på skyn högg till med sin lia på jorden, och jorden vart avskuren, och jag tog ut tändhatten och lade ifrån mig bössan.

Men sedan vart det ändå tyst till slut och röken blåste bort och dammet, och då steg jag opp och gick fram hittill kanten, hit där jag nu sitter, och benen skakade oppå mig så att jag icke trodde att jag skulle taga mig ända fram, och jag hade fått som en hinna över ögonen. Men nederom kanten syntes det ingenting, bara pinnmon och gruset och stenskravlet, int såpass som en brädlapp eller en spik och icke ett liv, och tänka kunde jag ingenting, allting som tankarna mina i alla år hade hållit fast sig däri var oppslukat och begrövet och icke ens murpipan stack opp, och än idag, än i denna dag, vet jag icke vem av oss det var som du Vårherre tänkte dig att det den gången skulle vederfaras rättvisa, ditt rike är rättvisans spira, om det var mig eller om det var Karl Orsa. Tilda lär ska vara enda arvingen hans.

Vårherre?

Och jag skall sedan med desso mine hud omflådd varda, och skall i mitt kött få se Gud.

BÖCKER TILL LÅGPRIS I MÅNPOCKET

Hans Alfredson	Tiden är ingenting
Inger Alfvén	s/y Glädjen
Lisa Alther	Närbilder
Gerda Antti	Ett ögonblick i sänder
Saul Bellow	Mr Sammlers planet
Anna Bergenström	Första kokboken
Ingrid Bergman/Alan Burgess	Mitt liv
K Arne Blom	Smärtgränsen
Ray Bradbury	Fahrenheit 451
André Brink	En torr vit årstid
Michail Bulgakov	Mästaren och Margarita
Elias Canetti	Facklan i örat
Marie Cardinal	Orden som befriar
Henri Papillon Charrière	Papillon – Räddningens öar
Stig Claesson	Om vänskap funnes
Len Deighton	London tillhör oss
Len Deighton	XPD
Sven Delblanc	Speranza
C. Dexter	Flicka försvunnen
Allan Edwall	Limpan
Kerstin Ekman	Springkällan
Kerstin Ekman	Änglahuset
Gunnar Ekelöf	Samlade dikter
P.O. Enquist	Musikanternas uttåg
P.G. Evander	Hundarnas himmel
Knut Faldbakken	Oår – Aftonlandet och Sweetwater
Ken Follett	Triangeln
Frederick Forsyth	Schakalen
Frederick Forsyth	Djävulens alternativ
John Fowles	Den franske löjtnantens kvinna